Pelos livros que havia lido e pelas conversações que tive com os sábios que frequentavam a casa do prelado, soube que navegando pelo oceano se via coisas maravilhosas. Assim, me determinei assegurar por meus próprios olhos a veracidade de tudo que contavam para, por minha vez, contar a outros minhas viagens, tanto para entretê-los e ser-lhes útil como para tornar-me um homem que passasse para a posteridade.

ANTONIO PIGAFETTA

Leia também na Coleção **L&PM** POCKET:

Brasil: Terra à vista! – Eduardo Bueno
A carta de Pero Vaz de Caminha
A conquista do México – Hernan Cortez
Os conquistadores – Júlio Verne
Diários da descoberta da América – Cristóvão Colombo
O livro das maravilhas – Marco Polo
Naufrágios & comentários – Álvar Núñez Cabeza de Vaca
O paraíso destruído – Frei Bartolomé de las Casas

Antonio Pigafetta

A primeira viagem ao redor do mundo

O diário da expedição de Fernão de Magalhães

Tradução de Jurandir Soares dos Santos
Introdução e Notas de Carlos Amoretti

www.lpm.com.br

L&PM POCKET

Coleção **L&PM** POCKET, vol. 453

Texto de acordo com a nova ortografia.

Publicado anteriormente, em formato 14x21, pela L&PM Editores na coleção L&PM/História, em 1986.

Primeira edição na Coleção **L&PM** POCKET: janeiro de 2006
Esta reimpressão: agosto de 2019

Tradução: Jurandir Soares dos Santos
Introdução e notas: Carlos Amoretti
Revisão: Renato Deitos
Mapas: Fernando Gonda
Capa: Ivan Pinheiro Machado sobre ilustração de Marco Pillar

ISBN 978-85-254-1432-8

P629p   Pigafetta, Antonio
            A primeira viagem ao redor do mundo: o diário da expedição de Fernão de Magalhães / Antonio Pigafetta; tradução de Jurandir Soares dos Santos. – 2 ed. – Porto Alegre: L&PM, 2019.
            208 p.; il.; 18cm. – (L&PM POCKET, v. 453)

            l.Viagens históricas-Relatos-1519-1522. I.Título. II.Série.

CDU 910.4(091)

Catalogação elaborada por Izabel A. Merlo, CRB 10/329.

© da tradução, L&PM Editores, 2005

Todos os direitos desta edição reservados a L&PM Editores
Rua Comendador Coruja, 314, loja 9 – Floresta – 90220-180
Porto Alegre – RS – Brasil / Fone: 51.3225.5777

Pedidos & Depto. comercial: vendas@lpm.com.br
Fale conosco: info@lpm.com.br
www.lpm.com.br

Impresso no Brasil
Inverno de 2019

Sumário

Introdução – Diário de uma Viagem ao Desconhecido / 9

Personagens – Antonio Pigafetta / 40
　　　　　　　Fernão de Magalhães / 40
　　　　　　　Juan Sebastian del Cano / 41

Prefácio – Navegação e Descobrimento da Índia Superior / 44

Livro Primeiro – Partida de Sevilha até o Estreito de Magalhães / 47

Livro Segundo – Desde a Saída do Estreito até a Morte de Magalhães / 77

Livro Terceiro – Desde a Partida de Cebu até a Saída das Ilhas Molucas / 127

Livro Quarto – Regresso à Espanha Desde as Ilhas Molucas / 175

Vocabulários dos povoados em que Cavalheiro Pigafetta fez escala durante a viagem / 192

die hollender durch schifft vnd auch der leng beschrieben.

FVOGO PARS

C Æ P A

...anicum
...sechs Schiff kommen
...die Enge.
Pinguische Inseln.
Pinguins Vogel.
Moschel Bay
Muschel.
cap Fruart.
Cordos Bay.
...Hollender kirch hoff

I. Ritters Baÿ.
Kein wilder von so schul..
L. verschlossen Baÿ.
M. Felsen baÿ.
N. ein wilde fraw
O. auch ein wilde fraw
P. ein wilder Man.
Q. die 2. schiff so wider vmb gewendet.
R. ist vorzeit ein Vestung geweßen.

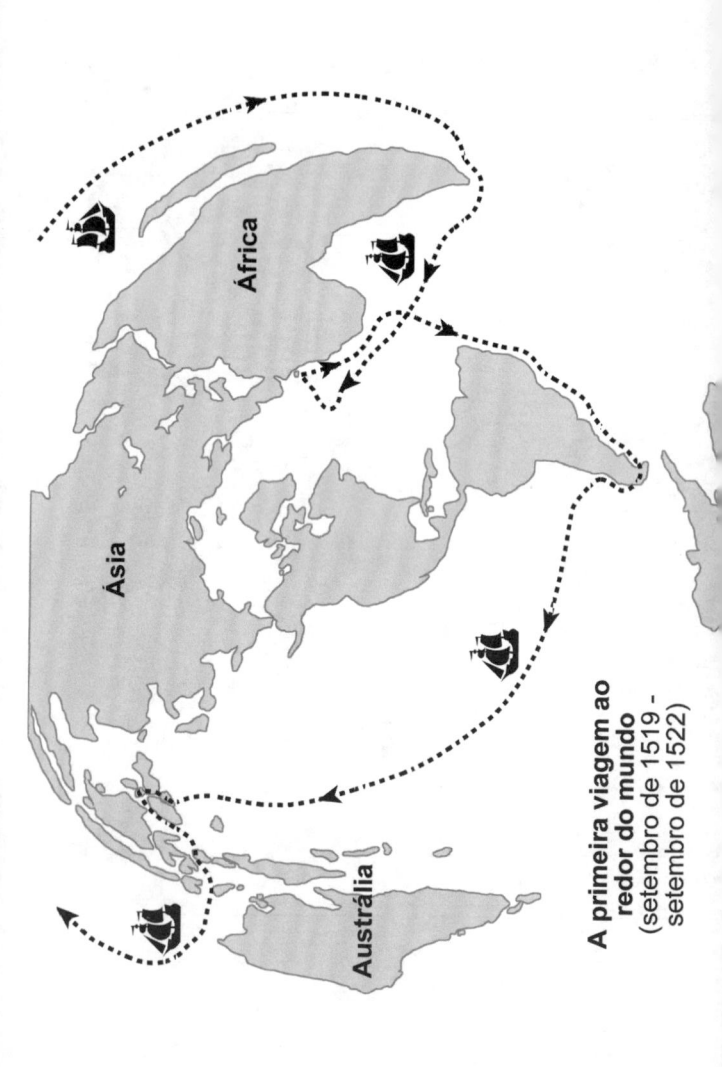

A primeira viagem ao redor do mundo (setembro de 1519 - setembro de 1522)

Introdução

Diário de uma Viagem ao Desconhecido

I

No século XV, os italianos eram quase os únicos que comerciavam com os gêneros que a Ásia fornecia à Europa, principalmente temperos, tais como pimenta, canela, cravo, gengibre, noz-moscada e outros produtos vegetais sempre tão procurados, e ainda hoje solicitados, mais por suas virtudes do que por seu sabor agradável. Estes produtos provinham de certas ilhas situadas próximo do Equador, de onde seus habitantes ou vizinhos os transportavam para a parte das Índias situada entre estas ilhas e a Europa. Era ali que os mercadores europeus iam recolhê-los. Antes que os árabes tivessem ocupado e devastado o Egito, o comércio se dava pelo Mar Vermelho, como no tempo dos fenícios. Desde o extremo norte do Mar Vermelho (não havia o Canal de Suez) transportavam as mercadorias, a lombo de camelo, até as margens do rio Nilo, depois de haverem tentado em vão cavar canais navegáveis. Conduzidas em barcos pelo Nilo, iam até os portos do Egito, onde os navios de Veneza, Gênova, Amalfi e Pisa vinham carregá-las. E quando os árabes, por questões religiosas e certo despotismo político, fecharam totalmente a passagem ao comércio no Golfo Arábico, os mercadores tiveram que ir ao Golfo Pérsico, desde o qual, pelo rio Eufrates, pelo Indo e pelo Oxus, levaram os gêneros da Índia ao Mar Cáspio ou ao Mar Negro e destes até o Mediterrâneo, onde os italianos iam buscá-los para reparti-los por todas as costas da Europa e por seu interior, até as regiões glaciais da Rússia e da Noruega, onde tinham seus estabelecimentos comerciais.

II

Compreende-se facilmente que o preço destes gêneros deveria ser muito baixo originalmente e que a necessidade de pagá-los caro era uma consequência dos gastos de transporte e dos riscos que se corria, tanto no Mar Vermelho como nos desertos, além da ganância daqueles por cujas mãos passavam. Sabemos por um tal Bartolomeu Florentino, negociante que residiu vinte e quatro anos nas Índias ao fim do século XV, que os produtos passavam por doze mãos diferentes antes de chegar até nós e que cada um ganhava, pelo menos, dez vezes mais.[1] Porém, o monopólio, sobretudo, elevava excessivamente o preço.

Quando os árabes conseguiram anular totalmente o comércio do Mar Vermelho, os genoveses se associaram ao imperador cismático de Constantinopla para estabelecer o comércio exclusivo do Mar Negro, pela Tartária e pela Pérsia. Quando o sultão do Egito, depois de ter subjugado os árabes, reabriu o caminho do Nilo, os venezianos, seus aliados, se apoderaram do comércio dos genoveses e foram os únicos que supriram a Europa inteira com gêneros das Índias. Enfim, de um lado ou de outro, todas as nações europeias tornavam-se tributárias dos italianos. Acrescente-se a isto que, até meados do século XVI, depois de conquistar as ilhas que quase que exclusivamente produziam os temperos, aumentaram o preço, pois conheciam seu valor melhor que os indígenas.[2]

III

O afã do lucro e o desejo de diminuir as dificuldades e riscos fizeram surgir diversos projetos para encontrar meios de proporcionar as mercadorias da Índias em primeira mão. Isto aconteceu na época do renascimento das letras e quando a arte da imprensa, recém-inventada, começava a espalhar as luzes que os antigos nos transmitiam a respeito da navegação e da figura da Terra. Sabia-se que alguns navegantes fenícios, saindo do Mar Vermelho, haviam entrado no Mediterrâneo, com o mesmo navio, pelo Estreito de Gibraltar.[3] Por conseguinte, se conjeturava que do oceano Atlântico, navegando para Leste, se poderia chegar por mar à desembocadura do Mar Vermelho e chegar às ilhas dos condimentos.

Sabia-se, além disso, sem dúvida alguma, que os antigos haviam conhecido a esfericidade da Terra e a existência dos antípodas, que no tempo da ignorância haviam sido considerados, não só como um erro antifilosófico, senão como uma heresia. Os viajantes que, seguindo as pegadas de Marco Polo, haviam percorrido todas as costas da Ásia, certificaram-se que a Terra formava uma curvatura de Leste para Oeste. E os portugueses, que no começo do século XV visitaram as costas da Guiné, somando seus conhecimentos aos dos navegantes do norte da Europa, haviam demonstrado, pela elevação e desaparecimento da Estrela Polar, que a Terra formava uma linha curva do Norte para o Sul; que, por conseguinte, tinha figura esférica e podia ser circundada. Tudo isto estava muito de acordo com as observações dos astrólogos, os quais contribuíram, sem dúvida, com grandes progressos para a astronomia. Havia também relatos, ainda que obscuros e vagos, de alguns marinheiros que asseguravam haverem sido transportados a ilhas situadas entre a Europa e a América e também a um novo continente, cujo nome era ainda de todo desconhecido. Eis aqui as bases sobre as quais se fundamentava a esperança de chegar, saindo do Estreito de Gibraltar, imediatamente a Malucho (assim se chamava antes as ilhas dos Condimentos, que hoje denominamos Molucas), costeando a África e singrando em seguida a Leste, ou atravessando o Oceano Atlântico para Oeste. Havia tal persuasão de não encontrar nenhum obstáculo nesta última rota que os mais célebres geógrafos daquele tempo não separavam em seus mapas, por nenhum continente, as costas Ocidentais da Europa e África da costa da Ásia Oriental, senão simplesmente pelo oceano, pontilhado de algumas ilhas. Apresentarei provas no parágrafo XII. Isto era um erro, sem dúvida, porém muito perdoável aos geógrafos da época, porque, ainda que os antigos tivessem medido com exatidão a circunferência da Terra[4] e deixado também regras bastantes certas para determinar a longitude dos lugares, se fazia muito pouco caso delas, por não se entendê-las bem. Como consequência desta ignorância do tamanho da Terra e das longitudes, se imaginava que em seguida ao Ocidente deveriam se encontrar as ilhas, das quais se conhecia a distância somente a Leste e ao Sul.

IV

Esta ideia embargava o espírito de Cristóvão Colombo, que somava aos conhecimentos teóricos e práticos da navegação os ensinamentos que havia recolhido de outros navegantes e todo o valor necessário para os grandes empreendimentos. Convencido da esfericidade da Terra, não encontrava a menor dificuldade em atravessar o oceano Atlântico com a ajuda da bússola, da qual conhecia não só a inclinação como também o meio de corrigi-la.[5] Aos seus compatriotas genoveses, que não tinham outro meio que este para reanimar o seu comércio, pediu os navios para a execução de seu projeto. Porém os genoveses, ocupados em pequenas especulações e atormentados sem cessar pelas disputas domésticas que os sujeitavam tão pronto aos reis da França como aos duques de Milão, rechaçaram suas proposições. Dirigiu-se então ao rei de Portugal que tampouco o escutou, porque não acreditava que se pudesse chegar às Molucas senão dobrando a África. Finalmente a Espanha, depois de longas e repetidas solicitações, se determinou a confiar-lhe alguns navios. Não obstante, Colombo não tocou mais do que as ilhas da América, a partir das quais seus sucessores descobriram o continente, acariciando em vão a ideia de encontrar um caminho a Oeste do México e pelo istmo do Panamá.[6]

V

A navegação de Colombo originou disputas entre os espanhóis e os portugueses sobre algumas das ilhas descobertas e mais ainda sobre as terras que se esperava descobrir depois. Os portugueses, quando empreenderam suas navegações pelas costas da África, tiveram a previsão de aproveitar-se da opinião, amplamente admitida na época, de que o sucessor de São Pedro podia, como vigário de Jesus Cristo, dispor dos reinos que não pertencessem a potências cristãs. Os papas Martinho V, Eugênio IV e Nicolau V já haviam concedido aos portugueses o império de todo o território que acabavam de descobrir nas costas da África. Alexandre VI, ao qual, depois da viagem de Colombo, Espanha e Portugal apresentaram ao mesmo tempo suas pretensões, traçou uma linha que, passando pelos polos, cortava em dois o globo terrestre. A ilha de Ferro, uma das Canárias, onde Ptolomeu havia fixado o primeiro meridiano, era o ponto pelo qual passava esta linha, que se chamou "Linha de Demarcação".

O papa deu, pois, aos portugueses tudo o que pudessem conquistar a Leste e aos espanhóis tudo o que descobrissem a Oeste desta linha. Porém, quando os portugueses se apoderaram do Brasil, a linha foi mudada para 30° a Oeste da ilha de Ferro.

VI

Enquanto que a Espanha estendia para Oeste suas conquistas, os portugueses, guiados em 1497 por Vasco da Gama, dobraram o cabo da Boa Esperança, que Dias, acompanhado do navegante veneziano Cadamosto, havia descoberto em 1455.[7] Costearam a África Oriental e as ilhas que estão entre este continente e a Ásia e chegaram a Calicut (Índia), que era o centro do comércio das especiarias. Em continuação, não sem sustentar combates e guerras, tanto com os indígenas como com os mouros, que haviam invadido uma grande parte deste país, estenderam sua navegação até as Ilhas Molucas e, em 1510, fundaram um estabelecimento para monopolizar, quase exclusivamente, o comércio da pimenta e do cravo, que só eram obtidos nessas ilhas.[8]

VII

Os estabelecimentos portugueses nas Índias tinham então como governador e vice-rei ao duque de Albuquerque, o qual, por seu talento e por seu valor, conseguira fazer abortar todos os empreendimentos do venezianos, os quais eram aliados de Solimão II, o Magnífico, e fizeram grandes esforços para conservar no Mar Vermelho o comércio que os portugueses queriam transportar para Lisboa.[9] Foi somente depois da saída deste vice-rei que Magalhães empreendeu sua viagem para passar cinco anos nas Índias.[10] Magalhães era um fidalgo português que havia cultivado as ciências, ocupando-se preferencialmente de tudo o relativo à navegação, e estudado muito dos costumes entre cavalheiros portugueses. Empreendeu esta viagem para se tornar conhecido na corte e obter um emprego adequado ao seu talento. De Calicut seguiu para Sumatra. Tudo indica que não estendeu sua viagem até as Molucas, embora tal seja afirmado por Angera, Ramusio e outros escritores,[11] porque se tivesse chegado ali teria descoberto que as ilhas estão sob a linha equinocial e não teria ido buscá-las, como o fez, aos 14° de latitude setentrional. Das Índias regressou a Lisboa. Durante este tempo, Albuquerque havia enviado às Molucas Francisco Serrano, parente e amigo de Magalhães, com ordens de erigir ali um forte, o que não executou porque todos os reis de cada uma das ilhas, com insensata ambição, queriam que fosse construído em seu território.[12] Serrano, querendo submeter a todos ao mesmo tempo, se proclamou soberano, embora apenas com o título de pacificador. Já veremos de que maneira foi vítima de sua ambição.

VIII

Ignorou que direitos poderia ter Magalhães à mercê da corte. Porém suas ações provam que possuía tanto valor como conhecimentos, embora diga o contrário o jesuíta Maffei, que o acusa de ter mais vaidade do que mérito.[13] Se temos que dar crédito a nosso autor, devemos reconhecer a moderação das pretensões de Magalhães, pois se limitavam a pedir ao rei um aumento mensal de cem réis, segundo alguns autores, ou de meio cruzado, segundo outros. Há, não obstante, motivo para crer que durante seu serviço a Portugal deu provas evidentes de valor e habilidade, posto que o rei da Espanha o tornou cavaleiro de Santiago e lhe confiou o comando de uma esquadra.

IX

Segundo disse Maffei,[14] durante sua estada em Portugal Magalhães manteve correspondência frequente, conforme a distância o permitia, com seu amigo Serrano, o qual o convidou a voltar às Índias e ainda chegar até as Molucas, indicando-lhe a distância que as separavam de Sumatra, ilha para ele muito conhecida. Porém, se nos permitem fazer conjeturas e tentar adivinhar as causas pelos efeitos, concluiremos que é verossímil que Magalhães se queixasse a Serrano dos supostos agravos recebidos na corte de Lisboa; que Serrano, talvez ameaçado pelo vice-rei, ao qual não havia obedecido na construção da fortaleza, lhe propôs dar estas ilhas à Espanha e lhe proporcionou ao mesmo tempo os maravilhosos dados que obteve dos habitantes das ilhas mais orientais. Dados estes referentes à possibilidade de encontrar o cabo do continente descoberto por Colombo, objetivando dobrá-lo ou talvez encontrar um estreito, pois os portugueses já possuíam o Brasil, descoberto por Cabral em 1500, em cujas terras Juan Carvajo, de quem Pigafetta fala frequentemente, havia passado quatro anos, e onde Juan de Solís, que buscava uma passagem para as Índias, foi assassinado com sessenta homens de sua tripulação e comido pelos canibais.[15]

X

É bem provável que por estes dados Magalhães já tivesse algum conhecimento de uma passagem do Atlântico para o Mar das Índias, porém, segundo comunicou confidencialmente a Pigafetta e a seus companheiros de viagem, foi de outra maneira que ele chegou ao estreito. Enquanto pretendia sua ascensão na corte de Lisboa, continuou estudando a geografia e a navegação, de maneira que, segundo nosso autor, chegou a ser um dos mais hábeis geógrafos e navegantes de seu tempo.[16] Por esta fama lhe foi permitido examinar tudo o que até então fora colecionado sobre ditas matérias e que estava cuidadosamente guardado na tesouraria. O infante D. Henrique, que foi o primeiro que projetou as viagens para descobrimento de novos países, assim como os príncipes que o sucederam, havia reunido as notícias e os mapas dos geógrafos, navegantes e astrônomos que, com a esperança de uma recompensa, iam ali depositar seus descobrimentos. Foi nessa tesouraria que Magalhães encontrou um mapa de Martín de Bohemia, onde estava desenhado o estreito pelo qual se podia passar do Atlântico para o mar que, em seguida, foi chamado de Pacífico.

XI

Para estarmos certos de que Magalhães buscou esta passagem porque a havia visto desenhada no mapa de Martín de Bohemia, basta ler o que Pigafetta escreve sobre o assunto. Anotamos suas próprias palavras, tal como se lê no manuscrito.[17] É estranho que se tenha negado esta verdade, que se pode encontrar no extrato do livro de Pigafetta publicado em francês por Fabre e em italiano por Ramusio.[18] Porém, é ainda mais estranho que esta verdade, tão honrosa para Martín de Bohemia, ou, melhor dizendo, Behaim,[19] tenha sido negada por Murr quando se propôs a fazer o seu elogio.[20] Não é demais falar aqui desta questão, que está intimamente relacionada com o ponto mais interessante da navegação que me proponho publicar. Otto, em uma memória inserida no segundo volume de *Transactions philosophiques de la Societé de Philadelphie*, pretendeu provar, entre outras coisas, que não foi Colombo quem descobriu a América e nem Magalhães quem encontrou o estreito que permite chegar às Índias pelo Ocidente, mas que o mérito destes descobrimentos se deve unicamente a Martín Behaim, de Nuremberg. Efetivamente, este Martín Behaim era um dos maiores geógrafos de seu tempo e foi um dos primeiros a fazer um mapa-múndi, em 1492, que ainda está conservado em sua pátria. Também foi um dos primeiros que atravessaram a linha com o famoso navegante Santiago Cano, em 1484. Esteve casado com a filha de Huerter, feudatário da ilha de Faial, uma dos Açores, onde passou muitos anos, fazendo de vez em quando viagens à Europa; era estimado e consultado pelos sábios de seu tempo, assim como pela corte de Lisboa. Teve todos os meios para adquirir os mais raros e amplos conhecimentos geográficos do século. Portanto, como demonstrou o Conde de Carli, falecido em 1795,[21] se procurou provar, sem razão, que Colombo descobriu a América depois de Behaim. Otto apoia sua opinião numa crônica de Nuremberg, onde se diz que "descobriu as ilhas da América antes que Colombo e o estreito, que tomou em seguida o nome de Magalhães, antes que o próprio Magalhães". Também se baseia no testemunho de Hartmann Schedel, que diz que Magalhães e Cano, navegando, se encontraram no outro mundo. Porém, Carli esclarece que a crônica de Nuremberg não é contemporânea e Murr comprova que as palavras de Schedel foram intercaladas no manuscrito por outra mão. Com efeito, não as encontramos na primeira edição de sua obra, que temos em nossa biblioteca. Pode-se acrescentar que a frase *In alterum orbem accepti sunt* deve ser interpretada no sentido de que passaram a linha.

XII

Com menos fundamento ainda, Murr pretende que Martín Behaim não teve nunca a menor ideia do estreito de Magalhães. Tendo visitado os arquivos dos herdeiros, não encontrou, segundo disse, nenhum rastro deste documento.

Além disto, em seu globo terrestre, que doou à cidade de Nuremberg, pode se ver claramente – acrescenta Murr – que Martín Behaim nem sequer suspeitou da existência da América. Este globo – do qual Murr publicou o hemisfério que compreende a parte ocidental da Europa e da África e a parte oriental da Ásia – permite ver que naquele tempo se acreditava poder ir diretamente desde as ilhas Açores até os reinos de Cambaia e do Tibete, não encontrando mais do que a ilha de Catay em todo o oceano que se haveria de percorrer. Imaginavam que desde as ilhas Canárias se poderia chegar à ilha de Antilha, e por esta razão Colombo denominou Antilhas as ilhas que encontrou próximo da América. Das ilhas do Cabo Verde, no globo de Behaim, se ia, sem encontrar terra alguma, até Cipango (o Japão), que Marco Polo havia dado a conhecer na Europa e do qual também fala Pigafetta, que acreditava ter passado a pouca distância dali. Do Japão se ia a Cambaia e, virando para o Sul, às grandes e pequenas ilhas de Java, situadas sobre o mesmo meridiano. Se vê, pois, que no globo de que falamos não existe detalhe algum sobre a América. Sem dúvida, tudo isto demonstra que em 1492 Behaim não conhecia a América e, por conseguinte, não poderia facilitar dados a Colombo, que partiu nesse mesmo ano. Porém, não prova de modo algum que desde este período até 1506, último ano de sua vida, não pudesse conhecer tudo o que se havia descoberto até então e traçá-lo sobre um novo mapa. Suas viagens, suas correspondências com todos os sábios, seus cargos e empregos na corte de Lisboa, e, sobretudo, sua estada nas Ilhas Açores, lhe forneceram os meios, como já temos observado, de adquirir as luzes que o acaso ou a investigação proporcionam aos navegadores. Varenius[22] afirma que Núñez de Balboa conheceu, em 1513, a existência do estreito em questão, pelas correntes que só se produzem num canal aberto em seus dois extremos e nunca numa baía. Por que qualquer outro navegante, ao tempo de Behaim, não poderia fazer a mesma observação e comunicar a ele? Murr opina que isto é muito possível, mas acredita que não aconteceu, e que Marco Antonio Pigafetta foi quem defendeu em seu *Itinerario*, publicado em Londres em 1585, a fábula do descobrimento da América por Behaim e acrescenta que ignora se se menciona a Martín Behaim na *Relación del Congo de Felipe Pigafetta*. Se pode julgar, pela maneira como se expressa, que Murr conhecia os nomes e títulos apenas dos outros dois Pigafetta (Marco Antonio e Felipe) e que não tinha a mais remota ideia de nosso cavalheiro Antonio Pigafetta, nem de sua *Relación del descobrimento de las Índias*, nem dos extratos do mesmo que foram publicados, e tampouco havia lido o *Itinerario* de que fala, porque nele não há a mínima referência a Martín Behaim. Felipe Pigafetta não o cita nem em sua *Relación del Congo*, impressa em Roma em 1591, nem em seu *Itinerario de Egipto*, cujo manuscrito se acha na biblioteca de meu amigo senhor Malacarte, professor de cirurgia em Pádua, segundo o mesmo me comunicou por escrito. Não se deve, pois, duvidar de que Magalhães pudesse ver desenhado o estreito no mapa de Martín Behaim. Porém, é preciso dizer que não se baseou por completo no mapa em questão, ou que o mesmo era bastante inexato, pois, se não fosse assim, não teria destacado o navio *Santiago* para reconhecer a costa em que naufragou buscando o estreito nos 52° nem tampouco teria se determinado a voltar aos 75° para encontrá-lo.

XIII

Voltemos à história de Magalhães e a nosso autor. Seja por vingar-se das injustiças que acreditava ter recebido ou para conseguir o adiantamento que solicitava, Magalhães passou para a Espanha para oferecer seus serviços a Carlos V, com o objetivo de dirigir uma esquadra, correndo sempre a Oeste da Linha de Demarcação, até as ilhas das Especiarias. Estas eram conhecidas mais pelos relatos dos italianos, que haviam navegado até elas pelo Leste, do que pelas informações dos portugueses estabelecidos ali já havia dez anos. Era tamanho o cuidado dos portugueses em manter ocultos os seus descobrimentos, conforme diz Castañeda, que, na época, se teria ignorado a viagem de Vasco da Gama, se este não tivesse o trabalho de ter escrito e publicado por sua conta.[23] Carlos V, ou melhor dizendo, o Cardeal Cisneros, seu primeiro-ministro, regente da Espanha em sua ausência, escutou atentamente o projeto de Magalhães, que lhe convenceu da possibilidade de ir pelo Oeste, assegurando-lhe ao mesmo tempo que as ilhas das Especiarias estavam na parte do Globo pertencente à Espanha pela linha demarcatória, porque senão o cardeal vice-rei não haveria nunca consentido que se invadisse um país que o papa havia dado a outros. Para persuadir-lhe de que as Molucas estavam no hemisfério espanhol, Magalhães não só tomou como testemunha a Cristóvão Hara, o qual, possuindo nas Índias casas de comércio, dizia que estava seguro, pelas instruções de seus procuradores, da verdadeira posição geográfica destas ilhas,[24] como também apelou à autoridade do famoso astrólogo Ruy Faleiro, que, de compasso na mão, demonstrava sobre o mapa-múndi que as ilhas estavam situadas mais aquém de 180° de longitude ocidental da Linha de Demarcação. Como o Cardeal Cisneros ainda duvidasse, Faleiro deu a Magalhães um método para calcular a longitude, a fim de não ultrapassar a linha.[25] Para desvanecer toda a dúvida, poderia Faleiro embarcar com Magalhães, porém como se envaidecia de ser astrólogo, se desculpou dizendo que previa que esta navegação lhe seria fatal. E o foi, efetivamente, para o astrólogo Martín de Sevilha que viajou em seu lugar, sem prever, entretanto, que seria assassinado, como lhe aconteceu na ilha de Cebu (Filipinas).

XIV

Teremos uma prova da importância das investigações sobre as longitudes, feitas durante esta viagem, na descrição a seguir. A esquadra estava apenas no mar Pacífico, quando o cavalheiro Pigafetta considerou como um dever assinalar em seu diário, não somente a latitude, como a longitude da Linha de Demarcação; e para evitar qualquer equívoco advertiu que esta se achava a 30° a oeste do primeiro meridiano, situado por sua vez a 3° a oeste de Cabo Verde.[26] Explicando-se com tanta precisão, é estranho que Fabre, a quem deu uma cópia de seu relato, não o tenha compreendido, e que em vez de dizer graus de longitude da *linha de demarcação*, diga sempre *a linha de sua partida*, ou *grau de longitude da qual partiram*; e onde devia indicar a posição desta linha, tal como assinalou nosso autor, diga *e 30 graus do meridiano, o qual está a 3 graus mais a oriente que o cabo de Boa Esperança*. Como se vê, carece de sentido esta maneira de expressar-se. Ao traduzir Ramusio a Fabre, omitiu tudo isto com razão, e tem-se de perdoá-lo quando, por seguir literalmente o texto, em vez de dizer "longitudine dalla linea di divisione", disse "longitudine dal luogo donde si eran partiti", por conseguinte, aumenta em um erro de 40° a longitude assinalada por Pigafetta.

XV

Porém, os portugueses, interessados em determinar a verdadeira longitude das Molucas, acusavam os espanhóis não somente de erro, como também de má-fé. Pedro Mártir de Anglería, gentil-homem milanês e historiógrafo da corte da Espanha, contava com bastante graça em uma de suas cartas[27] que, havendo-se escolhido 24 astrônomos e pilotos, tanto portugueses como espanhóis, depois de haverem "silogismado" muito, concluíram que não se poderia decidir a questão, a não ser por canhonaços. Entretanto, Carlos V calculou que mais valia vender a João III, rei de Portugal, pelas 150 mil dobras (antiga moeda de ouro do valor de dez pesetas, aproximadamente) que ofereceu, seus pretendidos direitos sobre as Molucas, e as cedeu. Ademais, é certo que estas ilhas, situadas por Pigafetta entre os 160° e os 170° de longitude a oeste da linha de demarcação, estão realmente além de 180°. Por conseguinte, pertenciam a Portugal em virtude da bula do papa Alexandre VI. Seja como for, o rei da Espanha, persuadido de que Portugal lhe havia usurpado o que lhe pertencia, e disposto já a encomendar a Estevão Gomez umas caravelas para empreender novos descobrimentos, não titubeou em confiar a Magalhães uma esquadra para esta importante expedição, o qual, com o fim de remover todos os obstáculos, escolheu a Gomez para comandar um de seus navios, escolha esta da qual logo se arrependeu.

XVI

Enquanto se tratava deste importante assunto na corte de Madri, Antonio Pigafetta, gentil-homem de Vicêncio, estava em Roma, aonde todos os italianos que tinham talento e aspiravam a fazer fortuna acudiam, sobretudo nos bons tempos de Leão X. Era de família fidalga, originária da Toscana, e provavelmente filho de Mateus Pigafetta, doutor e cavalheiro, que ocupou frequentemente cargos na administração pública de sua pátria.[28] Tão ávido de glória como de fortuna, se propôs buscar uma e outra nos longínquos países do novo mundo que Colombo e Américo Vespúcio acabavam de descobrir, e onde muitos italianos haviam já adquirido renome e riquezas. Seguiu à Espanha com seu concidadão Francisco Chiericato, enviado como orador ou embaixador a Carlos V, para começar daí suas viagens. Tudo saiu à medida de seus desejos, e pode se ver na carta dedicatória de sua obra como obteve do imperador a licença de embarcar na esquadra de Magalhães.

XVII

Pigafetta não era certamente muito sábio, ainda que Marzari, historiador vicentino, nos dissesse que *era célebre em toda Europa por seus excelentes conhecimentos de filosofia, matemática e astrologia.*[29] Mas havia estudado a geografia e a astronomia necessárias para entender o manejo do astrolábio e determinar a latitude dos lugares; conhecia também bastante a teoria dos fenômenos celestes para poder realizar as observações astronômicas, pelas quais se delibera sobre a declinação do ímã, da singradura de um navio e das longitudes. Pode-se ter uma ideia de seus conhecimentos sobre o assunto em seu "Tratado de navegación".

XVIII

A vontade de instruir-se igualava-se ao saber de nosso autor e ainda o sobrepujava. Teremos uma prova no estudo feito, durante sua viagem, dos diferentes idiomas dos povos que visitou, até o ponto de formar vocabulários mais ou menos extensos à medida que encontrava ocasião.[30]

Procurava inteirar-se sempre das coisas por si mesmo, e assim o demonstrou em frequentes ocasiões, durante a realização das missões particulares de que foi encarregado em alguns pequenos reinos das ilhas que a esquadra visitou. Veremos por seu relato que nunca deixou de percorrer os campos, para examinar o cultivo das principais produções do país, das quais escreveu a história natural, o menos mal que pôde, sem a precisão de um botânico, é certo, porém com toda a exatidão de um homem de bom senso. Não se limitando ao que se apresentava diante de seus olhos, se esforçava em instruir-se sobre as comarcas onde a esquadra ancorava, e sobre os índios que voluntária ou forçosamente navegavam com ele. É preciso, portanto, convir que não tinha conhecimentos bastante profundos de História Natural e de Física para apreciar devidamente o que via e para distinguir a verdade das fábulas e mentiras que lhe contaram sobre coisas prodigiosas, sobre os "orelhões", sobre as amazonas, sobre os pigmeus etc., dos quais, com a maior boa-fé, fez ridículas descrições.

XIX

Ainda que não fosse hábil físico nem bom naturalista, nem excelente astrônomo, como o são, geralmente, os navegantes de nossos dias, Pigafetta estava longe de merecer o injurioso depreciativo que lhe quis impor De Paw, que o chama de *um exagerado ultramontano, crédulo e ignorante, que, sem emprego e sem caráter, fez sua excursão no navio Victória*.[31] Mas pode-se fazer pouco caso das injúrias de Paw? É preciso ler seu "Recherches sur les Américains" para ver que é um escritor que, pelas asserções aventuradas, para não dizer algo pior, e sem conhecer os assuntos dos quais fala, como disse Pernetty,[32] desde o retiro de seu gabinete não se propunha escrever mais do que um livro que pudesse satisfazer aos pseudofilósofos, ou pela novidade de um ilusório sistema sobre a América, ou pela maledicência e a religião. Por outro lado, não conhecia mais que o miserável extrato da obra de Pigafetta, feito por Fabre, e condenou a obra e o autor, como se a tivesse examinado por completo. É verdade que outros escritores, entre os quais está o célebre Tiraboschi, têm feito pouco caso do relato de viagem de Pigafetta; porém, isto ocorreu porque imaginaram que não havia escrito mais do que Fabre e Ramusio publicaram.

XX

Pigafetta merece elogios, sobretudo pelo cuidado que teve em anotar dia por dia tudo o que via, tudo o que ouvia dizer e tudo quanto sucedia a ele, a seus companheiros de viagem e à esquadra. Teve, ademais, a sorte de não estar nunca impossibilitado para escrever, e enquanto toda a tripulação sofreu grandes enfermidades ele desfrutou sempre de uma saúde bastante forte para fazer diariamente suas observações. De modo que, quando de seu retorno, chegou às ilhas de Cabo Verde e perguntou que dia da semana era, não se podia duvidar de que havia se equivocado em um dia inteiro, havendo levado com regularidade seu diário. Pigafetta não é o único a ser surpreendido pela perda de um dia ao dar a volta ao mundo; esta perda, da qual não havia dúvida, parecia então tão inexplicável que se pretendia, disse Anglería,[33] que nossos navegantes não haviam dado a volta à Terra, até que os astrônomos e o Cardeal Contarini, o primeiro, demonstraram que isto devia suceder a todos os que davam a volta ao Globo, singrando constantemente de Oriente a Ocidente.

XXI

Ao cabo de três anos, dos duzentos e trinta e sete homens que formavam a tripulação, e de cinco navios que compunham a esquadra, disse Anglería,[34] não vieram de volta a Sevilha, de onde haviam saído, mais que dezoito homens e um só navio arruinado e crivado de furos. Entre os dezoito homens estava Pigafetta. Cada um se sentiu no dever de contar tudo o que lhe havia sucedido, ainda mais que a corte da Espanha queria publicar o relato de uma viagem tão importante, porque ninguém antes destes navegantes havia dado a volta ao mundo. Pedro Mártir de Anglería, a quem acabamos de citar, do Conselho das Índias e que já havia escrito a história da expedição de Cristóvão Colombo,[35] foi encarregado, pelo imperador, de recolher todos os dados que se podiam obter dos míseros restos da tripulação. Provavelmente poriam em suas mãos todos os diários que se encontravam a bordo do navio, sobretudo dos que haviam perecido; mas parece que Pigafetta guardou o seu próprio, porque ele mesmo disse que foi apresentar-se ao imperador em Valladolid,[36] e é presumível que lhe ofereceria uma cópia de sua própria mão, guardando as notas originais.

Às ordens que o imperador deu a Anglería para que escrevesse a história desta expedição se uniram as súplicas do Papa Adriano VI, ao qual unia uma grande amizade desde que ocupou na corte o lugar de preceptor de Carlos V. Anglería, pois, escreveu esta história, e ele mesmo disse que enviou seus manuscritos ao papa em Roma, o qual queria mandá-lo imprimir com todo luxo. Porém não chegou à Cidade Eterna até depois da morte do pontífice.[37] Ramusio[38] acrescenta que este manuscrito foi pasto das lhamas ou que foi perdido para sempre no terrível saque que a capital do mundo sofreu em 1527.

XXII

O mesmo Ramusio, um dos primeiros e mais sábios compiladores de expedições e viagens, disse, ademais, a este respeito, que quase se perderia o registro desta magna empresa *se um hábil e gentil-homem vicentino, chamado de senhor Antonio Pigafetta, não tivesse feito um relato curioso e detalhado,* de onde, como veremos em seguida, se fez um extrato em francês, traduzido também ao italiano, para inseri-lo em sua coleção. Este livro existe na Biblioteca Ambrosiana de Milão e, ao que parece, não só é inédito, como também não chegou a ser conhecido pelos que escreveram a história da prodigiosa expedição. Não é o diário propriamente dito tal como Pigafetta o apresentou ao imperador, mas uma extensa correspondência que escreveu, estando na Itália para atender aos rogos de Clemente VII, ao qual se apresentou em Monterosi na sua volta,[39] e aos do grão mestre de Rodes, De Villers Lisle-Adam, ao qual se dirige frequentemente na correspondência. Como neste livro Pigafetta acrescenta a seu nome o título de *cavalheiro*, pode-se deduzir que o escreveu depois de 3 de outubro de 1524, dia em que foi nomeado cavalheiro.[40] Porém, se temos provas de que a obra foi escrita alguns anos depois da volta de sua viagem, há também motivos para crer que o cavalheiro Pigafetta tinha diante de si as notas originais, porque enquanto redigia disse repetidas vezes *oggi* (hoje), copiando o que havia escrito no mesmo dia do sucedido. Além do mais, não seria possível, seguindo a ordem do tempo mais do que a das coisas, conservar na memória uma infinidade de objetos para ele novos e de acontecimentos extraordinários, que algumas vezes tem unido, sem alterá-los, para dar mais continuidade e conjunto ao relato do autor.

XXIII

Depois de ter escrito seu livro para o grão-mestre de Rodes e de ter apresentado uma cópia ao soberano pontífice, da qual fala Paulo Jovio,[41] enviou outra à rainha Luisa de Saboya, que estava ocupando o reino em lugar de seu filho Francisco I (envolvido então com a desdita Guerra da

Lombardia, onde foi feito prisioneiro), à qual Pigafetta se apresentara, quando regressou à Itália, para oferecer alguns produtos do outro hemisfério. A rainha mandou traduzir o livro para o francês pelo parisiense Antonio Fabre, que tinha fama de ser excelente filósofo e de saber italiano, porque havia residido muito tempo em Pádua. Porém este, para não se molestar (*per fuggir la fatica*, como disse ingenuamente Ramusio), fez apenas um resumo e omitiu aquilo que talvez não entendesse. O resto foi impresso em francês, com muitas falhas.[42] Apesar de todos esses defeitos, Ramusio, que, como já disse, queria inserir em sua grande coleção esta grande expedição, a traduziu ao italiano e a publicou juntamente com outras duas relacionadas, porém, de menor importância.[43]

XXIV

Não consegui averiguar o que aconteceu com as outras cópias que o autor ofereceu a outras grandes personalidades. O célebre presidente De Brosses, que havia recolhido com tanto cuidado e inteligência tudo o que chegou até nós relativo aos descobrimentos dos europeus em terras austrais, ao falar de Pigafetta disse claramente que foi perdido.[44] Parece que ao tempo de Montfauçon este relato não existia entre os manuscritos da Biblioteca Real, porque em seu catálogo[45] não menciona mais que o título da obra francesa, isto é, do resumo de Fabre. Teria citado, sem dúvida, o título italiano se tivesse encontrado o original. O padre Angel Gabriel de Santa María, que escreveu em muitos volumes a história literária de Vicenzio, disse, incisivamente, que há uma cópia no Museu de Saibanti, em Verona, e outra na Biblioteca do Vaticano, em Roma. Com relação à primeira, me assegurou meu amigo, senhor Delbene, secretário da Sociedade Italiana, que tem se dedicado a investigar catálogos antigos e modernos deste museu, que nada existe ali, nem nunca existiu. Quanto ao segundo, acabo de receber uma nota de monsenhor Marini, diretor da Biblioteca do Vaticano, na qual me comunica que, depois de ter realizado as buscas necessárias, não só não encontrou esta obra entre os manuscritos dessa biblioteca como está seguro de que tampouco existe nas Bibliotecas Urbina, Palatina, Ottoboniana, Capponiana etc.

É preciso, além disto, conjeturar que as cópias eram muito raras e que nem mesmo a família do autor possuía alguma, posto que Felipe e Marco Antonio Pigafetta – de quem falamos no parágrafo XII, sendo o último autor de uma história das Índias orientais – não mencionam nem a viagem nem a obra de seu irmão Antonio, o que faz supor que não a haviam lido.[46]

Li na história de Castañeda[47] que esse escritor consultou um diário dessa viagem, no qual os graus de longitude estavam marcados muito diferentemente, segundo se diz, do que pretendiam os espanhóis para estender seus direitos para a parte Oeste. Maffei[48] nos ensina também que o espanhol Barros havia escrito a mesma história, baseada nos relatos e diários dos marinheiros. Ignorou a sorte dos diários de que se serviram os historiadores. Porém, é certo que nunca foram publicados.

XXV

Se poderia supor que nosso manuscrito é o mesmo que o autor apresentou ao grande mestre de Rodes, porque está muito bem escrito, em caracteres da escrita então chamada *cancilleresca*,[49] em bom papel e em fólio menor. Os mapas estão coloridos e tudo está apropriadamente encadernado. Se poderia crer também que é a cópia que ofereceu ao papa, pois, segundo disse Paulo Jovio, Pigafetta (a quem por erro chama de Jerônimo) lhe ofereceu, *tanto por escrito como em pintura*, as coisas mais notáveis dos países que havia visitado.[50] Acrescente-se a isto que nosso sábio bibliotecário Sassi, o qual em 1712 fez o catálogo de nossos manuscritos, escreveu na capa deste: "Eis, quiçá, o original". Sem dúvida, apesar de todas essas conjeturas, opino que nosso manuscrito não é mais que alguma das cópias que foram presenteadas às pessoas ilustres de que acabamos de falar. Eis aqui, no fundamental, minha opinião:

1º – Na fachada e na cabeça da epístola dedicatória, o nome do autor está escrito *Pigafeta*; ao final da carta se lê *Pigapheta* e ao fim do *Tratado de navegación* coloca *Pigaphetta*.

2º – O manuscrito está tão cheio de erros de ortografia, de linguagem, de sintaxe e de lógica, que frequentemente não tem sentido nenhum, como se poderá julgar pelas passagens que algumas vezes citarei nas notas.

3º – Um terço do volume está em branco, o que faz supor que esta cópia estava destinada a algum aficionado que desejava acrescentar outras coisas, e que o cavalheiro Pigafetta não viu. Do contrário, teria ao menos corrigido os erros mais graves e não teria, provavelmente, acrescentado seu *Tratado de navegación*. E, no caso de fazê-lo, não teria esquecido de colocar a figura a qual remete ao leitor e que não está.

XXVI

Porém, ainda que este manuscrito não tenha saído diretamente das mãos de Pigafetta, não é menos precioso, posto que foi escrito na época em que viveu o célebre navegante, como acabamos de ver, e que, além disto, é autêntico, como se pode julgar por sua concordância com tudo que sabemos desta expedição e dos países de que fala. Esta concordância se nota particularmente nos vocabulários. Por outra parte, até os erros e as fábulas que nele se encontram provam a boa-fé do escritor, que nos traslada todos os relatos que lhe fizeram e expõe os fenômenos tal como se apresentaram a seus sentidos. Enfim, este manuscrito é único. Não consegui descobrir de onde o cardeal Federico Borromeu (nome sempre esclarecido para as ciências e sobretudo para a biblioteca que fundou) obteve este manuscrito. Direi somente que no verso da capa se leem estas palavras, roídas em parte pelas traças: *Ce livre est du chevalier de Forrete*. E como sabemos pela história de Malta que nos tempos do grão-mestre Villers Lisle-Adam e de Pigafetta havia dois cavalheiros jerosolimitanos (naturais de Jerusalém), de sobrenome Forret, um deles, e o outro De la Forest,[51] é provável que pertencesse a qualquer um deles.

XXVII

Agora, o que vou publicar é a tradução desse manuscrito. Eu o traduzi em bom italiano, por assim dizer, de sua língua original, que é uma mescla de italiano, de veneziano e de espanhol. Fiz isto porque se o tivesse publicado tal como está, em lugar de instruir deleitando, esta viagem estaria entediando e repelindo o leitor. Do italiano o traduzi ao francês, porém, nas notas frequentemente transcrevi passagens exatamente como estão escritas no manuscrito. Coloquei os mesmos nomes que o autor deu aos países novos que viu, indicando nas notas os nomes que possuem atualmente. Pela mesma razão deixei na obra os erros de Pigafetta sobre as questões de Física e de História Natural, contentando-me apenas em advertir o leitor. Também expus mais decorosamente certos costumes que o autor havia ouvido contar. Não ignoro que na narrativa de nosso viajante há com frequência coisas inúteis e algumas vezes até absurdas, porém, direi como o presidente De Brosses,[52] *que, sobretudo, se sente a curiosidade de saber como foram vistas as coisas pelo primeiro de todos que as viu.* E também que é *necessário respeitar as observações dos mais antigos viajantes, ainda que às vezes careçam de um juízo correto.*[53] E como os autores célebres fizeram chegar até nós, ainda nos extratos, as faltas e inexatidões de seus escritores, penso que era preciso seguir seu exemplo ao publicar esta viagem.

XXVIII

Falta falar dos mapas que adornam nosso manuscrito. No total são 21, havendo os mapas em que Pigafetta delineou a América Meridional e todas as ilhas do Pacífico e das Índias Orientais onde ancoraram nossos viajantes, assim como as que viram ao passar ou ao menos lhes foram indicadas em sua rota. Estes mapas estão coloridos: o mar em azul; a terra em cor de fuligem; as montanhas em verde; e as casas ou choças em branco. Em um dos mapas há uma piroga, embarcação usada por esses povos, com dois homens, e em outro se vê a árvore que produz o cravo. Para que o leitor possa formar uma ideia desses mapas, reproduzo dois, desenhados fielmente segundo os originais. O primeiro representa a América Meridional; o segundo, as ilhas dos Ladrões, junto às quais está a piroga antes mencionada. Por estes mapas, assim como pelos outros, que achei inútil copiar, se vê que tudo está inexato; porém, também se vê que o autor colocou os objetos tais como os viu ou como ele os descreveu. Isto nos revela por que em seus mapas o Norte está abaixo e o Sul acima, de maneira que seria necessário virá-los para ver os lugares na posição em que os geógrafos os colocam comumente.[54]

XXIX

Para confirmar e esclarecer o que disse Pigafetta, acrescentei, em notas, aos nomes adotados pelo autor aos animais e às plantas, os nomes adotados pelos naturalistas. Tratei também de retificar os erros em que frequentemente incorreu, sobretudo quando pretendeu relatar fenômenos que viu ou de que ouviu falar.

XXX

Pigafetta, como já disse, procurou formar vocabulários dos povos novos à medida que os visitava, porém acredito que seria mais útil e menos tedioso para o leitor encontrá-los todos reunidos ao fim da viagem, de modo a poder aperceber-se das relações entre as diferentes línguas. (Veja-se as colocações que fiz à frente dessa coleção de vocábulos.) É dele um extrato rogando que se leia o preâmbulo que faz, para que se perceba o quanto interessa à história da astronomia e da navegação, ainda que com seus erros.

XXXI

Depois de tudo o que acabo de colocar, penso que não se julgará inútil o meu trabalho, ainda que tenhamos já em outras coleções um relato dessa viagem. Tudo o que sabemos sobre a mesma tem sido geralmente pelo livro de Fabre, que já mencionei no parágrafo XXIII. Porém Fabre não publicou mais que um resumo, pois ele mesmo diz: *Aqui termina o resumo de dito livro, traduzido do italiano para o francês*. Devo acrescentar que o resumo de Fabre é ruim; que omitiu muitas coisas *para evitar o incômodo de traduzi-las*, como disse muito bem Ramusio, que cometeu muitos erros que não estão no original, assim como já observei no parágrafo XIV, com respeito à Linha de Demarcação.

Poderia citar muitas outras falhas ao comparar o extrato de Fabre com o nosso manuscrito, mas isso no momento não interessa. Espero que nosso livro seja visto como uma nova obra interessante, instrutiva e honrosa.

Carlos Amoretti

● *Carlos Amoretti, bibliotecário e doutor do Colégio Ambrosiano de Milão e fundador do Instituto de Estudos Históricos de Bolonha, é, ainda hoje – quase um século depois de sua morte –, um dos maiores estudiosos dos diários de Pigafetta. Para realizar este livro, baseou-se no manuscrito original do diário, que se encontra na Biblioteca Ambrosiana.*

Notas:

1. Assim se encontra anotado no mapa-múndi de Behaim, do qual falarei no parágrafo XII.

2. Os historiadores nos falam da invasão dos muçulmanos nas Molucas; teremos um testemunho do nosso próprio autor: *Sono forsi cinquanta anny* – disse – *che questi mori habitano in Malucho prima li habitavano gentilli* (p. 203). Trancrevo literalmente as palavras do manuscrito de Pigafetta, e assim o farei sempre que haja ocasião, para dar ideia de seu estilo.

3. Heródoto, liv. IV; cap. IV; Estrabão, livro I, e outros, que se podem ver em RICCIOLI, *Geog.*, livro III, cap. XX.

4. Aristóteles (*De Coelo,* liv. II) fala disto como de coisa conhecida. Parece que os matemáticos do Egito haviam medido 1º na latitude de Mênfis, isto é, a 30º de latitude boreal, quando determinaram a posição e o tamanho das pirâmides, porque cada um dos quatro lados da Grande Pirâmide tem de largura 2'000 graus; de modo que se deve pressupor que dividiram o grau em mil partes, e deram a cada lado da pirâmide 0'002 (VENINI, *Dele misuri francesi*, fascículo Scelti, tomo XX, p. 98). Sabe-se, ademais, que Hiparco, três séculos antes da era corrente, havia determinado a longitude e a latitude de muitas estrelas no céu e que Ptolomeu, no século II, determinou por seu método a posição geográfica de muitos lugares da Terra com uma precisão que supõe observações

astronômicas. *(*ROBERTSON. *An historical disquisition concernig ancient India,* set. II*).*

5. TIRABOSCHI. *Storia della letter. Ital.*, tomo VI. Entretanto, o conhecimento do desvio não devia ser muito comum então, posto que o ignoravam os pilotos da esquadra de Magalhães.

6. Leia-se FERNANDEZ DE NAVARRETE, *Viagens de Cristóvão Colombo.*

7. Este cabo havia sido desenhado em 1450 por Frei Mauro, camaldulence do convento de Murano, perto de Veneza, sobre um mapa-múndi que eu vi em 1790 e que ainda está no dito convento.

8. Se acreditamos em nosso autor, este encontrou em 1521, nas Molucas, Pedro de Lorosa, que lhe disse: *Como ja sedizi anni stava ne la India ma X in Malucho, e tanti erano che Malucho stava discoperto ascosamente.*

9. ROBERTSON, loc. cit., set. 4.

10. PETRI ANGLERII, *Opus. epist.*, espíst. 767.

11. *Hist. gênér. des voyag.*, tomo I, p. 126, edição de Paris.

12. *Hist. gênér. des voyag.*, tomo I, p. 125, edição de Paris.

13. *Hist. rer. indic.*, liv. VIII.

14. *Hist. rer. indic.*, liv. VIII.

15. Leia-se LÓPEZ DE GOMARA, *História general de las Indias,* na coleção de *Viajes clásicos* editada por ESPASA-CALPE.

16. *Egli più giustamente che homo fossi al mondo carteava et navigava.*

17. *Il capitano generale che sapera de dover fare la sua navigazione per uno streto molto ascoso, como vite ne la thesoraria del re de Portugal in una carta fata per quello excelentissimo huomo Martin de Boemia, mando due navi etc.*

18. Veja-se parágrafo XXIII.

19. É certo que seu verdadeiro nome era Behaim. Cluverius disse que se o chamava de Bohemia porque seus antepassados eram originários deste reino, ou porque ele ali se estabeleceu por causa do comércio.

20. *Notice sur le chevalier Martin Behaím, célèbre navigateur portugais, avec la description de son globe terrestre.*

21. *Oppuscoli scelti di Milano*, tomo XV, p. 72.

22. *Geogr. gener.*, cap. 12.

23. *História della conquista delle Indie orientali*, prefácio.

24. *Epistola de Massimiliano Transilvano, presso Ramusio*, tomo I, p. 348.

25. CASTAÑEDA, loc. cit.

26. *La linea de la repartitione e trenta gradi longi del meridionali; el meridionali e tre gradi al levante longi da Capo Verde.*

27. Epístola 797.

28. ANGELO GABRIELE DE SANTA MARÍA, *Biblioteca e Storia de' scrittori Vicentini*, vol. IV, p. 1. "Fiz investigações em Vicenzio, para obter dados sobre a pessoa e família de nosso viajante, porém sem obter muita luz. Em um manuscrito que tem por título *Genealogica Storia delle famiglie nobili Vicentine*, vol. II, lê-se que era filho de Domitio Antonio e de Bartolomea Marostica, e que foi eleito jurisconsulto em 1470, o que não concorda com a descrição do cavalheiro Antonio, a menos que o jurisconsulto não seja seu pai Domitio. No que diz respeito ao cavalheiro Antonio, há somente duas linhas no epitáfio que o cavalheiro Capra, herdeiro dos bens de Felipe Pigafetta, mandou colocar na igreja dos dominicanos, onde se lê: *Philippus Pigafetta ... Peregrinandi cupidus, et Antonii gentilis sui eq. hierosolim., qui primus terrarum orbem circumiit, gloriae emulus, abdítissimas regiones adivit* etc. Ainda existe em Vicenzio sua casa, na Rua da Lua; é de estilo gótico, e foi construída por seus antepassados em 1481; porém, quando voltou, mandou adornar a porta com uma grinalda de rosas, na qual mandou esculpir estas palavras: IL. NEST. ROSE. SANS. ESPINE, talvez aludindo à glória conquistada por sua circunavegação e os sofrimentos nela enfrentados. Devo estes pormenores aos condes Francisco de Thiene e Francisco de San Giovanni, aos quais me compraz em testemunhar-lhes aqui publicamente meu reconhecimento."

29. *Storia di Vicenza, all'anno 1480.*

30. Veja-se o parágrafo XXXII desta *Introdução*.

31. *Recherches sur les Américains*, tomo I, p. 289.

32. Prefácio das *Recherches*.

33. Epístola 770.

34. Idem 767.

35. *Petri Martyris ab Angleria. De rebus Oceanicis et orbe novo, 1516.*

36. *Partendome da Seviglia andai a Vagliadolit ove apresentai a la sacra majesta de D. Carlo, non oro ne argento, mas cose essere assai apreciati da un simil Signore. Fra le altre cose li detti uno libro scripto de mia mano, de tucte le cose passate de giorno in giorno nel viaggio nostro.*

37. Epístola 797.

38. *Discorso sopra il Viaggio fatto dagli Spanuoli intorno al mondo*, tomo I, p. 346.

39. Veja-se a *Epístola dedicatoria*.

40. Veja-se o *Ruolo generale de' cav. gerosoliminis, di Fr. Bartolomeo del Pozo*, Torino 1714, onde se nota que o autor não põe mais que os nomes, as autoridades e os cargos dos outros cavalheiros; porém, ao falar de Pigafetta, depois de haver dito *comendador de Norsia*, acrescenta: *célebre por suas viagens nas Índias*.

41. *Historia sui temporis*, liv. XXXIV.

42. RAMUSIO, obra citada.

43. Havia me confiado em Ramusio, que se expressa de tal maneira que faz crer que foi o primeiro que pensou em traduzir para o italiano o *Extrait du voyage de Pigafetta* feito por Fabre e a carta de Maximiliano Transilvano; porém, depois verifiquei que Ramusio não fez mais do que copiar uma tradução impressa em Veneza em 1536, a 4ª menor, com o título *Il viaggio fatte dagli spagnuoli atorno al mondo*, MDXXXVI. Não mudou mais do que muito poucas palavras. Abreviou o discurso preliminar, suprimiu os números dos 114 capítulos em que Fabre havia dividido a obra, e acrescentou os títulos dos capítulos em que a dividiu. Copiou as mais torpes faltas. Também há alguma diferença no que disse acerca da infibulação dos habitantes de Cebu, como farei notar.

44. *Navigation aux Terres Australes*, tomo I, p. 121.

45. *Bibliotheca bibliothecarum*, p. 185, *v. in bibliotheca regis*, nº 10.270. Existem atualmente na Biblioteca Nacional de Paris dois manuscritos de uma tradução francesa de *Voyage d'Antoine Pigafetta*: um, em papel, que parece mais antigo, com o número 10.270; o outro, em couro, com o número 4.537. Este provém da biblioteca de Vallière. Não têm data, e não consta que seja a tradução de Fabre citada por Amoretti, e da qual diferem até no título: *Navigation et descouvrement de la India supèrieure faicte par moy Antoyne Pigaphete, vicentin, chevallier de Rhodes*.

46. Loc. cit.

47. Idem id.

48. Loc. cit.

49. O termo *cancilleresca* se parece um pouco ao que hoje chamamos *financeira*.

50. *Multa admiranda observanda que posteris pictura et scriptis adnotata deposouit*, etc. Loc. cit.

51. Filiberto de la Forest vivia em 1513, e Juan de Foret estava radicado em Rodes em 1522. (Bosso, *Istoria della sacra religione e illma. milizia Gerosolimitana*, parte II).

52. Loc. cit., tomo I, p. 97.

53. Tomo I, prefácio.

54. Outros geógrafos antigos, e particularmente Ramusio e Urbano Monti, têm colocado na mesma posição em suas cartas os lugares de que falam. O último, o que citarei com frequência, era um gentil-homem milanês que em 1590 desenhou e gravou um grande mapa geográfico que compreendia toda a terra conhecida de seu tempo. É composto de 64 folhas que, formando quatro elipsóides, parecem destinadas a cobrir um globo. A cada folha acrescentou o autor uma descrição muito extensa da história política, religiosa, civil e natural do país representado. Toda a obra estava preparada para ser impressa; porém, não se publicaram mais que as pranchas.

Personagens

Antonio Pigafetta

Francisco Antonio Pigafetta, navegante e escritor italiano, nasceu e morreu em Vicenza (1491-1534). Era de estirpe nobre, originária da Toscana. Chegou à Espanha em 1519, acompanhando a monsenhor Francisco Chiericato que a corte de Roma enviara como embaixador junto a Carlos V. Sabedor da expedição que estava sendo estruturada por Magalhães em Sevilha, pediu permissão ao embaixador e ao rei para embarcar com a mesma. Concedida a permissão, Magalhães o embarcou como excedente na nau *Trinidad*. Pigafetta foi um dos dezoito que regressaram desta célebre expedição. Foi ele também quem fez o relato escrito da primeira viagem que os homens realizaram em volta do mundo.

Fernão de Magalhães

Fernão de Magalhães, marinheiro português a serviço da Espanha, nasceu em Porto, no ano de 1470, e morreu em Mactán, nas Filipinas, a 27 de abril de 1521, em luta contra os indígenas.

Esteve várias vezes nas Índias Orientais: com Alfonso de Alburquerque, no ataque a Goa; com Diego de Sequeira (1509), em sua expedição a Malaca; e com Dabreo e Serrano, no descobrimento das Molucas.

Trasladou-se depois à África, onde, por ocasião da tomada de Azamor, foi ferido na perna por uma lança, o que o deixou coxo para o resto da vida. Profundamente desgostoso com o rei de Portugal, por entender que o mesmo não apoiava devidamente os seus serviços, renunciou à nacionalidade portuguesa e passou à Espanha. Entendia ser fácil, devido à forma redonda da Terra, encontrar pelo Oeste um caminho para as ilhas das Especiarias, seguindo direção contrária à dos portugueses, que iam pelo Cabo da Boa Esperança.

Entrevistou-se em Valladolid (março de 1518) com o imperador Carlos V, tendo firmado com o mesmo e sua mãe, Dona Juana, um acordo em que estava o germe da expedição que pretendia realizar. Levou um ano e meio na sua preparação e, em setembro de 1519, saía de Sanlúcar de Barrameda. Pigafetta relata em seus manuscritos as vicissitudes desta expedição. Como admirador de Magalhães, o segue com detalhes até que a vida do navegante português acaba, em 27 de abril de 1521.

JUAN SEBASTIAN DEL CANO

Juan Sebastian Elcano, ou Del Cano, nasceu em Gueteria, na província basca de Guipúzcoa, em 1476, e morreu (a bordo da nave *Santa Maria de la Victoria*) na Malásia, a 4 de agosto de 1526.

Em 1519, foi recrutado por Magalhães para a expedição que havia planejado às Ilhas Molucas, ou ilhas das Especiarias, e nomeado mestre da nau *Concepción*. A 27 de setembro de 1519, saía do porto de Sanlúcar de Barrameda, sob as ordens de Magalhães, a seguinte esquadra: *Trinidad*, comandada pelo próprio Magalhães; *Concepción*, por Gaspar de Quesada; *San Antonio*, por Juan de Cartagena; *Victoria*, por Luiz de Mendoza, e *Santiago*, por Juan Serrano, num total de 237 pessoas.

O relato de Pigafetta – o único a descrever a expedição –, além dos roteiros interessantes, como o de Albo, contém um diário bastante circunstanciado da viagem que o transforma no relator da PRIMEIRA VIAGEM AO REDOR DO MUNDO.

Com a morte de Magalhães, na ilha de Mactán, foram nomeados chefes da expedição Duarte de Mendoza (morto em Cebu) e Gonzalo Gómez de Mendoza, capitão do barco *La Victoria*, cujo mando foi tomado por Del Cano. Ao final da expedição, Del Cano veio a assumir o comando da mesma, tendo navegado pelos mares das Ilhas Molucas, o mar da Índias e, com perícia sem par e valor inigualável, dobrou o Cabo da Boa Esperança, e a 6 de setembro de 1522 entrava em Sanlúcar, para terminar sua viagem em Sevilha dois dias mais tarde. Regressaram somente dezoito homens dos duzentos e trinta e sete que embarcaram com Magalhães.

O imperador Carlos V recebeu a Del Cano em Valladolid e lhe concedeu honrarias especiais e um escudo de armas contendo um globo terrestre com a inscrição *Primus circumdedisti me*. O imperador também designou a Del Cano para decidir com os representantes do rei de Portugal a respeito da questão de soberania sobre as Ilhas Molucas, em vista da linha de demarcação traçada por Alexandre VI. Mais tarde foi nomeado guia e piloto maior da expedição de Loasia que, a 24 de junho de 1525, saiu de La Coruña rumo às Molucas. Sete navios e quatrocentos e cinquenta homens integravam a expedição. Atravessar o Estreito de Magalhães foi uma tarefa tão árdua que resultou na morte de Del Cano, a 4 de agosto de 1526. Morria assim, em pleno oceano Pacífico, o primeiro navegador na História a dar a volta ao mundo.

Navegação e Descobrimento da Índia Superior

Feita por mim

ANTONIO PIGAFETTA

Gentil-homem vicentino e Cavalheiro de Rodes

Dedicado ao mui excelente e mui ilustre senhor

FELIPE DE VILLERS LISLE-ADAM

Grão-mestre de Rodes

Prefácio

Como há pessoas cuja curiosidade não seria satisfeita ouvindo simplesmente contar coisas que vi e as penas sofridas na longa e perigosa expedição que vou descrever, senão que queriam saber também como cheguei a superá-las, não dando fé a tal empreendimento se não soubessem os mínimos detalhes, foi que resolvi expor em poucas palavras a origem de minha viagem e os meios que possibilitaram sua realização.

No ano de 1519, estava eu na Espanha, na corte de Carlos V, rei de Romanos,[1] com monsenhor Chiericato, então protonotário apostólico e predicador do papa Leão X, de santa memória, que por seus méritos foi elevado à dignidade de bispo e príncipe de Teramo. Pelos livros que havia lido e pelas conversações que tive com os sábios que frequentavam a casa do prelado, soube que navegando pelo oceano se via coisas maravilhosas. Assim, me determinei assegurar por meus próprios olhos a veracidade de tudo que contavam para, por minha vez, contar a outros minhas viagens, tanto para entretê-los e ser-lhes útil como para tornar-me um homem que passasse para a posteridade.

A ocasião se apresentou em seguida. Soube que se acabara de fretar em Sevilha uma esquadra de cinco navios destinada a descobrir as Ilhas Molucas, de onde nos vinham as especiarias. Soube também que D. Fernão de

Magalhães, fidalgo português e comendador da Ordem de Santiago, que por mais de uma vez havia percorrido o oceano com glórias, havia sido nomeado capitão-geral desta expedição. Dirigi-me imediatamente a Barcelona para solicitar de Sua Majestade a permissão para acompanhar esta viagem, o que me foi concedido. Dali, provido de cartas de recomendação, fui de barco a Málaga e de Málaga segui por terra até Sevilha, onde esperei três meses até que a esquadra estivesse em situação de partir.

Em minha volta à Itália, sua santidade, o soberano pontífice Clemente VII,[2] ao qual tive a honra de apresentar-me em Monterosi e de contar-lhe as aventuras de minha viagem, me acolheu bondosamente e me disse que lhe daria um grande prazer se o presenteasse com uma cópia do diário de minha viagem. Foi para mim um dever satisfazer da melhor forma possível a vontade do Santo Padre, apesar do pouco tempo de que então já dispunha.

Escrevi tudo neste livro e a vós, monsenhor, o ofereço, rogando que folheies quando desocupar-se dos múltiplos cuidados com a ilha de Rodes.[3] É a única recompensa que aspiro, monsenhor, ficando inteiramente à vossa disposição.

Livro Primeiro

Gigantes da Patagônia (Gravura de Teodore de Bry)

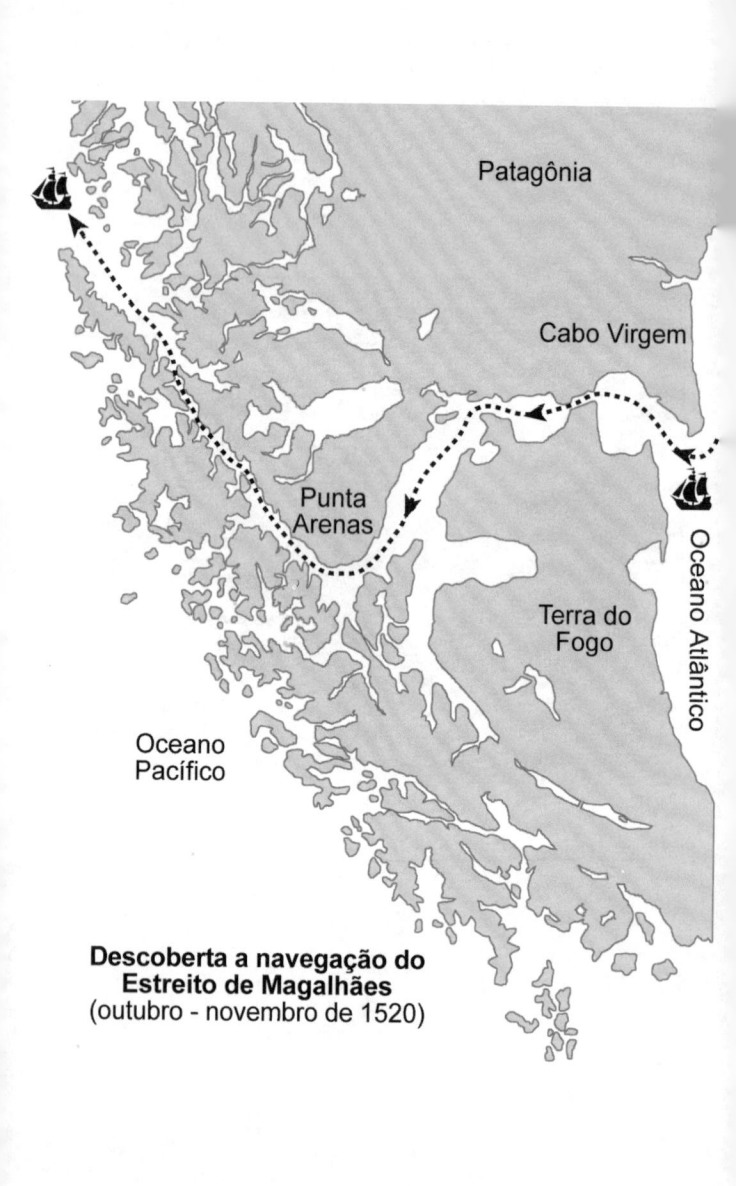

Descoberta a navegação do Estreito de Magalhães
(outubro - novembro de 1520)

Patagônia

Cabo Virgem

Punta Arenas

Terra do Fogo

Oceano Atlântico

Oceano Pacífico

Partida de Sevilha até o Estreito de Magalhães

1519 – Projeto de Magalhães – O capitão-geral Fernão de Magalhães[4] havia resolvido empreender uma longa viagem pelo oceano, onde os ventos sopram com furor e as tempestades são muito frequentes. Havia resolvido também abrir um caminho que nenhum navegante conhecia até então. Porém, tratou de manter sigilo sobre seu atrevido projeto, para que ninguém tentasse persuadir-lhe a desistir, em vista dos prováveis perigos que iria enfrentar e também para não desanimar a sua tripulação. Aos perigos que naturalmente iria enfrentar a expedição se somava mais um para ele: os capitães dos quatro navios que deviam ficar sob o seu comando eram seus inimigos, pela simples razão de que eram espanhóis enquanto que Magalhães era português.

Sinais – Antes de partir redigiu alguns regulamentos, tanto para os sinais de comunicação como para manter a disciplina. Para que a esquadra navegasse sempre junta estabeleceu para pilotos e contramestres as seguintes regras:

Seu navio deveria sempre preceder aos outros e para que não o perdessem de vista durante a noite levava um archote, chamado farol, preso à popa. Se além do farol acendesse uma lanterna, os outros barcos deveriam fazer o mesmo, para que ele se assegurasse de que o seguiam.

Quando acendesse outros dois fogos, sem o farol, os navios deveriam mudar a direção, seja para moderar a marcha ou pelo vento contrário.

Quando acendesse três fogos, era para retirar o cutelo, que é uma vela suplementar que se coloca sobre a maior quando o mar está calmo visando aproveitar melhor o vento e acelerar a marcha. Se retira o cutelo quando há ameaça de tempestade, pois neste caso a vela suplementar deve ser arriada para não atrapalhar a manobra da vela principal.

Se acendesse quatro fogos, era sinal de que deveriam arriar todas as velas. Porém, se estavam dobradas, as quatro luzes ordenavam desdobrá-las.

Muitos fogos ou alguns bombardeios era sinal de que estávamos próximos a terra ou em águas rasas e que teríamos, por conseguinte, que navegar com muita precaução. Havia outro sinal que indicava quando se deveria jogar a âncora.

Guardas – Fazíamos três turnos a cada noite: o primeiro, ao anoitecer; o segundo, chamado *medora*, à meia-noite; e o terceiro, de madrugada. Toda a tripulação estava dividida em três quartos: o primeiro, sob as ordens do capitão; o segundo, sob o controle do piloto; e o terceiro, com o contramestre. O comandante-geral exigia a mais severa disciplina à tripulação, a fim de assegurar o êxito da viagem.

10 DE AGOSTO – **Saída de Sevilha** – A 10 de agosto de 1519, uma segunda-feira pela manhã, a esquadra, levando a bordo todo o necessário, assim como sua tripulação, composta por 237 homens, anunciou sua saída com uma descarga de artilharia. Soltou-se a vela do traquete e descemos pelo Betis até a ponte de Guadalquivir, passando perto de San Juan de Alfarache, antigamente cidade dos

mouros muito povoada, onde havia uma ponte, da qual não restam vestígios, a não ser dois pilares sob a água e dos quais é necessário proteger-se. Para evitar o risco, deve-se navegar por este lugar aproveitando a maré alta.

AGOSTO DE 1519 – **Sanlúcar** – Continuando a descer pelo Betis, se passa pelas proximidades de Coria e de outros povoados até Sanlúcar, castelo que pertence ao duque de Medina Sidonia e porto no oceano, a dez léguas do cabo de San Vicente, a 37º de latitude setentrional. De Sevilha a este porto há de dezessete a vinte léguas.[5]

O capitão a bordo – Alguns dias depois, o capitão-geral e os capitães dos outros navios vieram de Sevilha a Sanlúcar em chalupas. Enquanto se terminava a tarefa de colocar as últimas provisões para a esquadra, todas as manhãs se saltava para a terra a fim de assistir à missa na igreja de Nossa Senhora de Barrameda. E, antes de partir, o capitão ordenou a toda a tripulação que se confessasse, tendo proibido o embarque de qualquer mulher na esquadra.

20 DE SETEMBRO – **Partida de Sanlúcar** – **26, Tenerife** – A 20 de setembro partimos de Sanlúcar, navegando para o Sudoeste, e a 26 chegamos a uma das ilhas Canárias, chamada Tenerife, situada nos 28º de latitude setentrional. Nos detivemos ali três dias para reabastecimento de água e carvão. Em seguida entramos em um porto da mesma ilha, chamado Monterroso, onde passamos dois dias.

Árvore que dá água – Nos contaram um fenômeno singular desta ilha. É que nela não chove nunca e que não tem nenhuma fonte e nenhum rio, porém que cresce uma grande árvore cujas folhas destilam continuamente gotas de uma água excelente. Uma fossa cavada ao pé da árvore permite que ali venham tomar água tanto os moradores da ilha como os animais, tanto domésticos como selvagens. Esta árvore está sempre envolta em espessa neblina de onde, sem dúvida, as folhas absorvem a água.[6]

Até os 14º de latitude setentrional sofremos muitas rajadas impetuosas de vento que, unidas às correntes, nos impediram de avançar. Quando as rajadas tornavam-se intensas, tínhamos a precaução de baixar as velas e parar os navios, até que o vento cessasse.

Tubarões – Durante os dias calmos, enormes tubarões nadavam próximo de nosso navio. Estes tubarões têm fileiras de dentes terríveis e, se por desgraça encontram um homem no mar, o devoram no ato. Pescamos muitos com anzóis de ferro, porém os grandes não são de todo comestíveis e os pequenos não valem grande coisa.

Fogos de São Telmo – Durante as tempestades vimos frequentemente o que se chama Corpo Santo, isto é, São Telmo. Uma noite muito escura nos apareceu como uma maravilhosa tocha, na ponta do mastro maior, onde ardeu pelo espaço de duas horas, o que foi um consolo em meio à tempestade. Ao desaparecer, projetou uma luminosidade tão grande que nos deixou, por assim dizer, cegos. Nos considerávamos perdidos, porém o vento cessou naquele instante.[7]

Pássaros raros – Vimos pássaros de muitas espécies. Alguns pareciam que não tinham cauda; outros não faziam ninho porque não tinham patas, porém a fêmea põe e choca seus ovos nas costas do macho, no meio do mar.[8] Há outros, chamados *cagacela* ou *caca-uccelo* (o *estercorário*), que vivem dos excrementos de outros pássaros. Vi muitas vezes um destes pássaros perseguir a outro insistentemente, até que o outro expeliu por fim um excremento, sobre o qual ele se atirou avidamente.[9] Vi também peixes voadores e outros pescados apinhados em tão grande quantidade que pareciam formar um barco no mar.

O Brasil – Depois de passar a linha equinocial, ao aproximarmo-nos do Polo Antártico, perdemos de vista a Estrela Polar. Deixamos o cabo entre o sul e o sudeste e enfiamos a proa para a *Terra do Verzino*[10] (o Brasil), nos 20º 30' de latitude meridional. Esta terra é uma continuação daquela em que está o Cabo de Santo Agostinho, aos 8º 30' da mesma latitude.

Abacaxi, açúcar, anta – Aqui nos provisionamos abundantemente de galinhas, de batatas, de uma espécie de fruto parecido com a pinha, porém extremamente doce e de gosto esquisito,[11] de cana-de-açúcar, de carne de anta – a qual é parecida com a carne da vaca etc.

Trocas, batatas – Fizemos também vantajosas trocas. Por um anzol ou por uma faca nos deram cinco a seis galinhas; por um pente, dois gansos; por um espelho ou uma tesoura, o pescado suficiente para comerem dez pessoas; por um guizo ou por um cinto, os indígenas nos traziam um cesto de batatas, nome que dão aos tubérculos que são mais ou menos a figura de nossos nabos e cujo sabor é parecido ao das castanhas.[12] Trocamos inclusive as figuras das cartas de baralho. Por um rei de ouro me deram seis galinhas e ainda acreditavam ter feito um magnífico negócio.

13 DE DEZEMBRO – Entramos em um porto[13] no dia de Santa Lúcia, 13 de dezembro. Estava então ao meio-dia e o Sol em nosso zênite e sofremos com o calor muito mais do que ao passar a linha (do Equador). A terra do Brasil, tão abundante em toda classe de produtos, é tão extensa como França, Espanha e Itália juntas. Pertence ao rei de Portugal.

Os brasileiros – Os brasileiros não são cristãos, porém, tampouco são idólatras, porque não adoram nada. O instinto natural é a única lei. *Sua longevidade* – Vivem muito tempo. Os velhos chegam ordinariamente até os 125 anos e algumas vezes até os 140.[14] *Seus costumes* – Andam completamente nus, tanto os homens como as mulheres. *Suas casas* – Suas habitações consistem em espaçosas cabanas, a que chamam *boi*, e dormem sobre malhas de fio de algodão chamadas *hamacas,* presas nos extremos a grossas vigas. Um destes *bois* pode abrigar algumas vezes até cem homens, com suas mulheres e filhos e, como consequência, há no seu interior sempre muito ruído. *Seus barcos* – Os chamam *canoas* e são feitos de tronco de árvore, que é tornado oco por meio de uma pedra cortante, usada em lugar das ferramentas de ferro, de que tanto carecem. São tão grandes estas árvores que numa só canoa cabem trinta a quarenta homens, que a movimentam com remos semelhantes às pás de nossos padeiros. Ao vê-los tão negros, completamente desnudados, sujos e sem pelos, tínhamos a impressão de estar diante de marinheiros do Rio Estige.[15]

Antropófagos – Os homens e as mulheres são fortes e bem conformados como nós. Comem algumas vezes carne humana, porém, somente a de seus inimigos. Mas não é por gosto ou apetite que a comem, mas por um costume que, segundo disseram, começou da seguinte maneira: uma velha tinha apenas um filho, que foi morto pelos inimigos. Algum tempo depois, o matador de seu filho foi feito prisioneiro e conduzido à sua presença. Para vingar-se, a mãe arrojou-se como fera sobre ele e, a bocadas, lhe destroçou as costas. O prisioneiro teve dupla sorte de escapar da velha e retornar para junto dos seus, aos quais mostrou as marcas das dentadas em suas costas, fazendo-os crer (talvez ele acreditasse também) que os inimigos queriam devorá-lo vivo. Para não serem menos ferozes que os outros, se determinaram a comer de verdade os inimigos que aprisionassem nos combates. Os outros fizeram a mesma coisa, e o costume vingou. Todavia, não os comem nos campos de batalha, nem tampouco vivos. Despedaçam o corpo e repartem entre os vencedores. Cada um leva a parte que lhe corresponde, passando-a no vapor e, a cada oito dias, come um pedaço assado. Isto me foi contado por nosso piloto Juan Carvajo,[16] que havia passado quatro anos no Brasil.

Tinta e tatuagem – Os brasileiros, homens e mulheres, pintam o corpo, sobretudo o rosto, de um modo estranho e diferente. Eles têm cabelo curto e espesso e não possuem pelo sobre nenhuma parte do corpo, porque se depilam.[17]

Vestidos – Carregam uma espécie de jaqueta tecida de plumas de papagaio e disposta de forma que as plumas maiores das asas e da cauda formam um círculo sobre os rins, o qual lhes dá uma aparência pitoresca e ridícula.

Adorno dos lábios – Quase todos os homens têm o lábio inferior perfurado com três agulhas, por onde passam cilindros de pedra de duas polegadas. Nem as mulheres nem as crianças carregam este incômodo adorno.[18] Sua cor é mais acentuada que o negro e seu rei chama-se *cacique*. Há neste país infinitos papagaios. Por um espelhinho chegavam a nos dar oito ou dez deles. Também há macaquinhos muito lindos, amarelos, parecidos com leõezinhos.[19]

O pão – Comem um pão branco e redondo, que não nos gostou, feito com a medula ou alburno de certa árvore[20] e que tem alguma semelhança com leite coalhado.

Animais – Há porcos, que nos pareceram ter o umbigo nas costas[21] e uns pássaros grandes, cujo bico parece uma colher, porém que carecem de língua.[22]

Libertinagem das moças – Algumas vezes, para conseguir uma faca de cozinha ou outro instrumento de corte, nos ofereciam como escravas uma ou duas de suas filhas.[23]

Castidade conjugal – Porém não nos ofereciam nunca as suas mulheres. Além disto, não teriam estas consentido entregar-se a outros homens que não fossem seus maridos, porque, apesar da libertinagem das moças, seu pudor é tal quando estão casadas que não toleram nem que seus maridos as abracem durante o dia. Estão encarregadas dos trabalhos mais penosos e as vimos frequentemente descer as montanhas com cestos cheios de carga sobre a cabeça. Mas não andam sós. São acompanhadas por seus zelosos maridos, armados com o arco em uma mão e a flecha na outra.

Armas – Este arco é de pau-brasil ou de palmeira negra. As mulheres carregam os filhos pequenos presos junto a seu corpo por meio de cordas de algodão. Poderia falar outras coisas mais a respeito de seus costumes, porém passarei em silêncio para não ser prolixo.

Credulidade – Estes povos são extremamente crédulos e bons e seria extremamente fácil convertê-los ao cristianismo. A casualidade fez com que dispensassem a nós veneração e respeito. Há dois meses fazia uma grande seca no país e justo com a nossa chegada o céu se desatou em chuva. Eles atribuíram isto à nossa presença. Quando desembarcamos para rezar missa em terra, eles assistiram em silêncio e com ar de reconhecimento. Ao nos verem colocar ao mar nossas chalupas, pensaram que as mesmas eram filhas dos navios e que estes as alimentavam.

Roubo estranho por uma moça – O capitão-geral e eu fomos um dia testemunhas de uma estranha aventura. As jovens vinham com frequência a bordo do navio para oferecerem-se aos marinheiros, para obter algum presente. Um dia, uma das mais bonitas subiu com este objetivo, porém, tendo visto um cravo do tamanho de um dedo e acreditando que não a viam, agarrou-o e o introduziu rapidamente entre os dois lábios de suas partes naturais. Quis escondê-lo? Quis adornar-se? Não conseguimos adivinhar.[24]

27 DE DEZEMBRO DE 1519 – Passamos treze dias neste porto[25] e, em seguida, retomamos nossa rota, costeando o país até os 34º 40' de latitude meridional, onde encontramos um grande rio de água doce. *Canibais* – Aqui habitam os canibais ou comedores de homens. Um deles, de figura gigantesca e cuja voz parecia a de um touro, se aproximou de nosso navio para dar ânimo a seus companheiros, os quais, temendo que fôssemos lhes fazer mal, se afastavam do rio, retirando-se para o interior do país. Para não perder a ocasião de ver-lhes melhor e de tentar conversar com eles, desembarcamos cem homens. Perseguimo-los para tentar capturar algum, mas eles davam enormes passadas que nem correndo conseguimos alcançá-los.

Cabo de Santa Maria – Este rio contém sete ilhas, sendo que na maior, que chamam Cabo de Santa Maria, se encontram pedras preciosas. Antes se acreditava que não era um rio, mas um canal pelo qual se passava ao mar do Sul, porém, logo se soube que não era mais que um rio, que tem dezessete léguas de largura no seu desembocadouro.[26] *Morte de Juan de Solís* – Foi aqui que Juan de Solís, que confiara em demasia nos canibais, acabou comido por eles, juntamente com sessenta homens de sua tripulação.

Pinguins – Costeando esta terra até o Polo Antártico, nos detivemos em duas ilhas que encontramos povoadas somente por gansos e lobos marinhos.[27] Há tanto dos primeiros e são tão mansos, que em uma hora fizemos uma abundante provisão para a tripulação dos cinco navios. São pretos e parecem ter o corpo coberto de minúsculas plumas, sem ter nas asas as plumas necessárias para voar. Com efeito, não voam e se alimentam de peixes. São tão graciosos que sentíamos pesar e não podíamos olhá-los quando tivemos que arrancar suas plumas. Seu bico parece um chifre.

Vacas marinhas – Os lobos marinhos são de diferentes cores e quase do tamanho de uma vaca, assemelhando-se sua cabeça à deste animal. Suas orelhas são curtas e redondas e seus dentes muito compridos. Não têm pernas e suas patas são unidas ao corpo, tendo unhas pequenas e parecendo-se com nossas mãos. Porém, são palmípedes, isto é, seus dedos estão ligados por uma membrana como os patos.

Se pudessem correr seriam temíveis, porque mostraram ser muito ferozes. Nadam muito depressa e comem apenas pescado.

JANEIRO DE 1520 – Sofremos uma terrível tempestade em meio a estas ilhas, durante a qual fogos de São Telmo, de São Nicolau e de Santa Clara foram vistos muitas vezes na ponta dos mastros. Quando desapareciam, se notava imediatamente a diminuição do furor da tempestade.

19 DE MAIO DE 1520 – **Porto de San Julián** – Distanciando-nos destas ilhas para continuar nossa rota, chegamos aos 49º 30' de latitude meridional, onde encontramos um bom porto. E como o inverno se aproximava, julgamos ser aconselhável passar ali aquela má estação.

Um gigante – Transcorreram dois meses sem que víssemos nenhum habitante do país. Um dia, quando menos esperávamos, um homem de figura gigantesca se apresentou ante nós. Estava sobre a areia, quase nu, e cantava e dançava ao mesmo tempo, jogando poeira sobre a cabeça.[28] O capitão enviou à terra um de nossos marinheiros, com ordem de fazer os mesmos gestos em sinal de paz e amizade, o que foi muito bem compreendido pelo gigante, que se deixou conduzir a uma pequena ilha, onde o capitão havia descido. Eu me encontrava ali com muitos outros. Deu mostras de grande estranheza ao ver-nos e levantando o dedo queria dizer que acreditava que nós havíamos descido do céu. *Sua figura* – Este homem era tão grande que nossas cabeças chegavam apenas até à sua cintura.[29] De porte formoso, seu rosto era largo e pintado de vermelho, exceto os olhos, que eram rodeados por um círculo amarelo e dois traços em forma de coração nas bochechas. Seus cabelos, escassos, pareciam branqueados por algum pó. *Seu traje* – Seu vestido, ou melhor dito, seu manto, era feito de peles muito bem costuradas, de um animal que abunda no país como veremos a seguir. *Animal estranho* – Este animal tem cabeça e orelhas de mula, corpo de camelo, patas de cervo e cauda de cavalo e relincha como este.[30] Calçava uma espécie de sapato feito com a mesma pele.[31] *Armas* – Tinha na mão esquerda um arco curto e maciço, cuja corda era feita do intestino de tartaruga. Na outra mão empunhava várias flechas pequenas, feitas de bambu, tendo num extremo plumas, como as nossas, e na outra, em lugar de ferro, uma ponteira de um material vitrificado branco e preto. Deste mesmo material fazem instrumentos para cortar lenha. *Presentes* – O capitão-geral mandou dar-lhe de comer e beber e, entre outras bugigangas, presenteou-o com um espelho grande de aço. O gigante, que não tinha a menor ideia deste utensílio e que, sem dúvida, via pela primeira vez a sua figura, retrocedeu tão assustado que derrubou quatro de nossos homens que o rodeavam. Depois de receber mais alguns presentes, como pentes e contas de vidro, retornou à terra, acompanhado por quatro homens bem armados.

Cerimônias – Um companheiro seu que havia se recusado subir a bordo, vendo-o voltar, correu para avisar e chamar outros, os quais, ao perceberem que nossos homens armados se aproximavam, se colocaram em fila, sem armas e quase desnudos. Em seguida, começaram sua dança e seu cântico, levantando o dedo indicador para o céu, para dar-nos a entender que nos consideravam como seres desconhecidos do alto. Não tendo outra coisa que dar-nos a comer, ofereceram uma espécie de pó branco em panelas de argila. Os nossos convidaram-lhes, por senhas, a que passassem aos navios e se ofereceram para ajudar a transportar o que quisessem levar consigo. Vieram, com efeito, mas conduzindo apenas seus arcos e flechas; toda a carga haviam deixado sobre os ombros das mulheres, como se estas fossem mulas de carga.

As mulheres – As mulheres não são tão grandes como os homens mas, em compensação, são mais gordas. Suas tetas desnudas têm mais de um pé de comprimento (aproximadamente 30 cm). Andam pintadas e vestidas do mesmo modo que seus maridos, porém cobrem suas partes naturais com uma pele delgada. Nos pareceram bastante feias, mesmo assim seus maridos se mostravam zelosos.

Caça – Trouxeram quatro animais dos que mencionei, atados com uma espécie de cabresto. Mas todos eles eram pequenos, do tipo que usam para atrair os grandes. A tática consiste em atar os pequenos a um arbusto e esperar que os grandes venham para brincar com eles. Aí então os homens, escondidos atrás das árvores, os matam a flechadas. Um grupo de dezoito habitantes do país, homens e mulheres, que fora convidado por nossos homens a subir aos navios, resolveu retribuir a gentileza, proporcionando-nos um espetáculo de caça neste estilo, nas cercanias do porto.

Outro gigante – Seis dias depois, estando nossa gente atarefada em fazer lenha para provisão da esquadra, viram outro gigante vestido como os que acabávamos de deixar e armado igualmente de arco e flecha. Ao aproximar-se, tocou a cabeça e o corpo, elevando em seguida as mãos ao céu, gesto que os nossos imitaram. O capitão-geral enviou um bote a terra para conduzir o gigante até uma ilhota próxima do porto e na qual se havia construído uma casa para abrigar uma forja e um armazém para algumas mercadorias.

Amigos dos espanhóis – Este homem era maior e melhor formado que os outros. Tinha também os modos mais suaves, mas dançava e saltava tão alto e com tanta força que seus pés se distanciavam várias polegadas da areia. Passou alguns dias conosco e lhe ensinamos a pronunciar o nome de Jesus, a rezar o Pai-nosso etc. Chegou a recitar esta oração tão bem quanto nós, porém na sua fortíssima voz. Por fim o batizamos, colocando-lhe o nome de João. O capitão-geral presenteou-lhe com uma camisa, uma calça, uma jaqueta, um gorro, um espelho, um pente e outras bugigangas. Depois disto, voltou para junto dos seus, muito contente conosco. Na manhã seguinte trouxe ao capitão-geral um destes grandes animais[32] de que temos falado e recebeu outros presentes. Voltou novamente com mais animais, porém, depois não o vimos mais e suspeitamos que seus companheiros o mataram por ter estado conosco. *Outros gigantes* – Ao cabo de quinze dias, chegaram até nós outros quatro gigantes. Vinham sem armas, mas soubemos em seguida que as haviam deixado escondidas entre as moitas, conforme nos mostraram dois deles que aprisionamos. Todos estavam pintados, mas de maneiras diversas.

JUNHO DE 1520 – **Dois dos gigantes são capturados graças à astúcia** – O capitão queria reter os dois mais jovens e melhor formados para levá-los conosco durante nossa viagem e serem conduzidos depois para a Espanha. Porém, vendo que seria difícil prendê-los pela força, se valeu da seguinte astúcia: primeiro, lhes deu uma grande quantidade de facas, espelhos e objetos de vidro, de modo que tivessem as duas mãos cheias. Em seguida lhes ofereceu dois aros de ferro, dos que se usa para os presos.

E quando viu que os cobiçavam (gostam extraordinariamente do ferro) e que não podiam carregá-los nas mãos, propôs prendê-los aos tornozelos para que levassem mais facilmente. Consentiram, e então lhes aplicaram os aros e fecharam os anéis, de modo que, de repente, se encontraram cadeados. Quando se deram conta do ocorrido, ficaram furiosos, bravando e invocando *Setebos*, que é seu demônio principal, para que viesse socorrê-los.

Tenta-se aprisionar as mulheres – Não se contentando em ter os homens, o capitão decidiu tomar também suas mulheres, para levar à Europa esta raça de gigantes. Mandou primeiro prender os outros dois gigantes para que estes guiassem a nossa gente até onde estavam suas mulheres. Bastaram nove homens fortes dos nossos para atá-los e colocá-los em terra. Um deles conseguiu libertar-se e o outro fez tanta força que, para sujeitá-lo, tiveram que feri-lo na cabeça. Por fim conseguiram subjugá-lo e fazer com que os levasse até onde se encontravam as mulheres dos prisioneiros. Estas, ao saberem o que havia acontecido aos seus maridos, lançaram gritos tão estridentes que os ouvimos desde muito longe. O piloto Juan Carvajo, que capitaneava o grupo, vendo que já era tarde, desistiu, de momento, de prender as mulheres. Porém, deixou sentinelas a postos, mantendo vigília, para que a tarefa fosse executada no dia seguinte. Mas quando começava a alvorecer, ouviu-se um cochicho e, em seguida, homens, mulheres e crianças saíram em desabalada corrida abandonando sua morada e tudo o que esta continha. Um homem conseguiu levar consigo um dos pequenos animais que usavam para caça, enquanto que um outro, escondido entre a macega, feriu na coxa com uma flecha envenenada a um dos nossos, o qual veio a morrer em seguida.

Mesmo disparando suas armas de fogo contra os fugitivos, nossos homens não conseguiram detê-los, porque não corriam em linha reta, mas em zigue-zague e com a velocidade de um cavalo em disparada. Nossa gente queimou a cabana dos selvagens e enterrou o morto.

A medicina dos gigantes – Mesmo sendo selvagens, esses índios desenvolveram uma espécie de medicina. Quando estão doentes do estômago, por exemplo, em vez de tomarem um purgante, como nós, eles introduzem uma flecha na boca, o mais que podem, para provocar o vômito, expelindo uma matéria verde mesclada com sangue.[33] A cor verde provém de um tipo de caldo de que se alimentam. Se lhes dói a cabeça ou qualquer parte do corpo fazem um corte no local da dor, para que saia dali uma grande quantidade de sangue. Sua teoria, segundo explicou um dos aprisionados, consiste no seguinte: a dor é causada pelo sangue que não quer permanecer em determinada parte do corpo, por conseguinte, fazendo-o sair, estão eliminando também a dor.

Seus costumes – Usam os cabelos cortados em auréola como os frades, porém mais longos e presos em volta da cabeça por uma corda de algodão, na qual colocam as flechas quando vão caçar. Se faz muito frio, prendem estreitamente contra o corpo suas partes naturais. *Sua religião* – Parece que sua religião se limita à adoração do diabo. Julgam que quando um deles está morrendo, aparecem dez ou doze demônios cantando e dançando ao seu redor. O demônio que provoca maior alvoroço e que é o chefe maior dos diabos é Setebos. Os demônios pequenos são chamados *Chelele*. Os nativos os pintam e representam com as mesmas formas dos habitantes do país. Nosso gigante afirmava ter visto uma vez um demônio com chifres e pelos tão longos que lhe cobriam os pés, e que expelia chamas pela boca e por trás.[34]

JULHO DE 1520 – **Usos** – Estes povos se vestem, conforme já foi dito, com pele de animal e com estas cobrem também suas cabanas, as quais transportam para onde mais lhes convém, não tendo residência fixa. Alimentam-se basicamente de carne crua e de uma raiz doce que chamam de *capac*. São uns glutões. Os dois que recolhemos comiam, cada um, um cesto de biscoitos por dia; devoravam os ratos crus, sem tirar a pele, e tomavam meio balde de água de um só trago. Nosso capitão chamou a este povo de patagões (devido ao tamanho de suas patas). Passamos neste porto, ao qual demos o nome de San Julián, cinco meses, durante os quais não nos sucedeu nenhum acidente, salvo os que acabo de mencionar.

Complô contra Magalhães – Mal havíamos ancorado neste porto e os capitães dos outros quatros navios tramaram um plano para assassinar o capitão-geral. Os traidores eram Juan de Cartagena,[35] administrador da esquadra, Luiz de Mendoza, tesoureiro, Antonio Coca, contador, e Gaspar de Quesada. Descoberto o complô, o primeiro foi esquartejado e o segundo apunhalado. Gaspar de Quesada foi perdoado, mas alguns dias depois arquitetou uma nova traição. Mesmo assim, o capitão-geral não se atreveu a tirar-lhe a vida, porque havia sido nomeado capitão pelo mesmo imperador. Decidiu expulsá-lo da esquadra, tendo-lhe abandonado na terra dos patagões, juntamente com um sacerdote,[36] seu cúmplice.[37]

Naufrágio de um navio – Outra desdita nos aconteceu neste lugar. O navio *Santiago*, que fora destacado para reconhecer a costa, naufragou entre os recifes. Mas, por milagre, toda a tripulação se salvou. Dois marinheiros vieram por terra até o porto em que estávamos para noticiar o ocorrido. A tripulação permaneceu durante dois meses no local do naufrágio, para recolher os restos do navio e as mercadorias que o mar empurrava periodicamente para a praia. Durante todo este tempo lhes foi enviado víveres, embora a distância de cem milhas até o porto e o caminho fatigante e perigoso a ser percorrido entre espinhos e bichos, sem contar o frio. Tinham que passar a noite em algum ponto do trajeto e a água que carregavam para beber virava gelo.

Animais do país – Quanto a nós, não estávamos mal no porto. Havia um tipo de mariscos, muito grandes, mas não comestíveis. Outros continham pequenas pérolas. Encontramos também pelas cercanias avestruzes,[38] raposas, coelhos, muito menores que os nossos, e uma espécie de pardal. E também existe um tipo de árvore da qual se extrai incenso.

Tomada de posse – Fincamos uma cruz em cima de uma montanha próxima, a qual chamamos Monte-Cristo, e tomamos posse desta terra em nome do rei da Espanha.

21 DE AGOSTO DE 1520 – Saímos, enfim, deste porto e, costeando aos 50º 40' de latitude meridional, vimos um rio de água doce[39] e nele entramos.

SETEMBRO DE 1520 – **Tempestade** – Toda a esquadra esteve a ponto de naufragar em virtude de fortes ventos e do mar convulsionado. Porém, Deus e os corpos santos (isto é, os fogos que resplandeciam na ponta dos mastros) nos socorreram, salvando-nos.

21 DE OUTUBRO DE 1520 – Passamos ali dois meses para reabastecer os navios de água e lenha. Nos provisionamos também de uma espécie de peixe coberto de muitas escamas, medindo cerca de dois pés e meio, e que é muito saboroso. Todavia, não conseguimos pescar a quantidade que necessitávamos.[40] Antes de abandonar este lugar, o capitão ordenou que, como bons cristãos, cada um de nós se confessasse e comungasse.

Cabo das Onze Mil Virgens – **Estreito** – Continuando nossa rota para o Sul, descobrimos, no dia 21 de outubro, aos 52° de latitude meridional, um estreito que chamamos das Onze Mil Virgens, por ser este dia consagrado pela Igreja. Este estreito, como pudemos constatar em seguida, tem quatrocentas e quarenta milhas de comprimento, ou seja, cento e dez léguas marinhas de quatro milhas cada uma. De largura tem cerca de meia légua. E desemboca em outro mar a que chamamos de Pacífico. O estreito é rodeado de montanhas muito altas e cobertas de neve. É tão profundo que, mesmo estando bastante próximo da terra, não se encontrava fundo para a âncora, nas vinte e cinco ou trinta braças.

Mapa do estreito por Martín de Bohemia – Toda a tripulação acreditava firmemente que o estreito não tinha saída para Oeste e que não seria prudente buscá-la sem ter os grandes conhecimentos do capitão-geral. Este, tão hábil quanto valente, sabia que era preciso passar por um estreito muito escondido, que havia visto em um mapa feito pelo excelente cartógrafo Martín de Bohemia[41] e que o rei de Portugal guardava em sua tesouraria.

Logo que entramos em suas águas, que se acreditava não serem mais que uma baía, o capitão enviou dois navios, o *San Antonio* e o *Concepción*, para averiguar onde desembocava, enquanto nós, com o *Trinidad* e o *Victoria*, os esperamos à entrada.

Borrasca – À noite veio uma terrível borrasca, que durou 36 horas, e nos obrigou a abandonar as âncoras, deixando-nos arrastar para a baía, à mercê das ondas e do vento.[42] Os outros dois navios, tão sacudidos como os nossos, não conseguiram dobrar um cabo[43] para virem se reunir a nós, de modo que, abandonando-se ao vento que os impelia continuamente para o fundo do que supunham ser uma baía, esperavam encalhar a qualquer momento. Porém, quando se julgavam perdidos, viram uma pequena abertura,[44] que tomaram por uma enseada da baía e na qual se internaram. Vendo que este canal não era fechado, continuaram a percorrer-lhe e chegaram a uma outra baía,[45] da qual prosseguiram sua rota, até que encontraram um outro estreito,[46] de onde passaram a uma outra baía, muito maior que as precedentes. Então, em vez de seguir até o fim, julgaram conveniente voltar para dar conhecimento ao capitão sobre o que haviam visto.

24 DE OUTUBRO DE 1520 – Dois dias haviam se passado sem que víssemos os dois navios que havíamos enviado para que buscassem o fundo da baía. Devido à tempestade que acabávamos de suportar, acreditávamos que eles tivessem naufragado. Vendo uma fumaça longe na terra, pensamos que aqueles que haviam conseguido se salvar tivessem acendido fogueiras, para anunciar-nos sua existência e sua angústia. Porém, enquanto estávamos na incerteza quanto à sua sorte, os vimos vindo em nossa direção, singrando a toda vela e com bandeiras desfraldadas. E quando chegaram mais perto, irromperam em bombardeios e manifestações de júbilo. Nós fizemos o mesmo e, ao saber que haviam visto a continuação da baía ou melhor dito, do estreito, nos juntamos todos para seguir nossa rota.

Gómez abandona a esquadra – Ao entrar na terceira baía de que acabo de falar, vimos duas desembocaduras ou canais: um a sudeste e outro a sudoeste.[47] O capitão enviou dois navios, o *San Antonio* e o *Concepción*, pelo canal a sudeste para verificar se saía em mar aberto. O primeiro zarpou em seguida e reforçou as velas, sem querer esperar pelo segundo. O piloto quis adiantar-se porque tinha a intenção de aproveitar-se da escuridão da noite para retomar o caminho já percorrido e retornar à Espanha pela mesma rota que acabávamos de fazer. Este piloto era Esteban Gómez, que odiava Magalhães pela única razão de que este praticamente lhe tirara o mando de uma outra missão. Quando Magalhães chegou à Espanha para propor ao imperador ir até às Ilhas Molucas pelo Oeste, Gómez já havia pedido, e estava a ponto de conseguir, o comando de umas caravelas para uma expedição, com objetivo de fazer novos descobrimentos. A chegada de Magalhães motivou a recusa de seu pedido, sendo-lhe concedido nada mais que a posição subalterna de piloto. Porém, o que mais o irritava era estar sob as ordens de um português. Durante a noite acertou os planos com os outros espanhóis da tripulação. Feriram e prenderam o capitão de navio Alvaro de Mezquita, primo-irmão do capitão-geral, e sob essas circunstâncias o conduziram à Espanha. Também levaram junto um dos dois gigantes que havíamos aprisionado e que estava a bordo de seu navio. Porém, soubemos ao nosso regresso que o mesmo morreu ao aproximar-se da linha equinocial por não suportar o calor.

O navio *Concepción*, que não podia seguir de perto ao *San Antonio*, nada mais fez do que cruzar o canal para esperar em vão por este.

Rio da Sardinhas – Havíamos entrado no canal sudoeste com os outros dois navios, e continuando nossa navegação chegamos a um rio que chamamos *das Sardinhas*,[48] devido à grande quantidade que vimos destes peixes. Ancoramos ali para esperar os outros dois navios. Permanecemos quatro dias, tendo enviado uma chalupa muito bem equipada para que procedesse o reconhecimento do término deste canal que desembocaria em outro mar. Os marinheiros da chalupa voltaram no terceiro dia e nos comunicaram que haviam visto o cabo onde terminava o estreito e um grande mar, isto é, o oceano. Todos choramos de alegria.

Cabo Desejado[49] – Este cabo foi chamado de Desejado porque, na realidade, há longo tempo que nós estávamos desejando vê-lo.

Fizemos a volta para nos reunirmos aos outros dois navios da esquadra e não encontramos mais que o *Concepción*. Foi perguntado ao piloto Juan Serrano o que havia acontecido com o outro navio e este nos respondeu que acreditava perdido, porque não mais o tinha visto, desde o momento em que embocou no canal.

Busca do navio San Antonio – O capitão-geral mandou então procurá-lo por todas as partes, mas, especialmente, no canal onde havia entrado. Enviou o *Victoria* até a desembocadura do estreito, ordenando que, se não o encontrassem, colocassem uma bandeira em um lugar bem alto,[50] ao pé da qual deveriam enterrar uma panela contendo dados sobre a rota que iriam percorrer. Esta maneira de avisar em caso de separação havia sido convencionada no momento de nossa partida.

Mais sinais para o navio perdido – Colocaram outros sinais semelhantes em locais elevados próximos da primeira baía e também numa ilhota,[51] na qual vimos muitos pássaros e lobos marinhos. O capitão-geral, juntamente com o *Concepción*, esperou o regresso do *Victoria* próximo ao rio das Sardinhas e mandou fincar uma cruz em outra pequena ilha, ao pé de duas montanhas cobertas de neve, onde o rio tem sua origem.

Projeto de Magalhães – O capitão-geral já havia feito um plano alternativo caso não tivéssemos encontrado o estreito para passar de um mar para outro. Sua determinação era continuar a rota para o Sul, até os 75° de latitude meridional, onde durante o verão não há noite, ou quase nenhuma, da mesma forma que não há dia durante o inverno. Enquanto estivemos no estreito não tivemos mais do que três horas de noite. Isto foi no mês de outubro.

NOVEMBRO DE 1520 – **Descrição do estreito** – Demos o nome de Estreito dos Patagões[52] a este canal de ligação que para esquerda só volta para sudeste. As terras que o ladeiam são baixas e a cada meia légua se encontra um porto seguro, com água excelente, madeira de cedro, sardinhas e mariscos em abundância. Encontramos também ervas, algumas amargas, porém outras plenamente comestíveis, sobretudo uma espécie de aipo doce que cresce junto às fontes, o qual comíamos na falta de melhores alimentos.[53] Enfim, acredito que não exista no mundo um estreito melhor do que este.

Peixes voadores – No momento em que desembocamos no oceano fomos testemunhas da caça curiosa que alguns peixes faziam a outros peixes. Há três tipos de peixes, isto é, os dourados e os atuns que perseguem os chamados andorinhas-do-mar, espécie de peixe voador. Estes, quando são perseguidos, saem da água e abrem as barbatanas nadatórias, que são bastante longas, para servir-lhes de asas, e voam à distância de um tiro de balista; em seguida voltam a cair na água.[54] Durante este tempo, seus inimigos, guiados por sua sombra, os seguem, e no momento em que mergulham de novo na água os agarram e os comem. Este peixes voadores têm mais de um pé de comprimento e são um excelente alimento.

Vocabulário patagão – Durante a viagem entretive o melhor que pude o gigante patagão que levávamos em nosso navio, e por meio de uma espécie de pantomima lhe perguntava o nome patagão de muitos objetos, de maneira que cheguei a formar um pequeno vocabulário. Já estava tão acostumado que, apenas me via pegar a pena e o papel, vinha em seguida dizer-me o nome dos objetos que vislumbrava, bem como detalhar as operações que iria executar. Nos ensinou, entre outras coisas, a maneira de acender o fogo em seu país. Atritavam dois pedaços pontiagudos de madeira, um contra o outro, até que surgisse fogo em um tipo de medula de árvore que colocavam entre os dois pedaços de madeira. Um dia em que lhe mostrei a cruz e a beijei diante dele, me disse por senhas que *Setebos* entraria em meu corpo e me faria arrebentar.

Morte do gigante – Quando se sentia nas últimas em sua enfermidade, pediu a cruz, a beijou e nos rogou que o batizássemos, o que fizemos, dando-lhe o nome de Paulo.

NOTAS:

1. Carlos V foi eleito imperador em 28 de junho de 1519; por conseguinte, era apenas rei dos Romanos quando Pigafetta chegou a Barcelona.

2. Clemente VII, da casa dos Médicis, foi eleito pontífice em 1523 e morreu em 1534.

3. Os turcos acabavam de se apoderar da ilha de Rodes, e preocupavam-se então com os meios de reconquistá-la ou de estabelecer em outro lugar a Ordem dos Cavalheiros de San Juan de Jerusalén, para o qual o imperador Carlos V lhes deu em 1530 a ilha de Malta. Esperando isto, a ordem se havia estabelecido em Viterbo.

4. Pigafetta escreve *Magaglianes*; os portugueses *Magalhaens*; os espanhóis, *Magallanes*, e os franceses, *Magellan*.

5. A légua de que fala nosso autor é de quatro milhas marinhas, como se verá claramente a seguir.

6. Este é um conto antigo. Os sábios pretendem que esta ilha é a de *Pluviala* ou a de *Ombrion*, citadas por Plínio (liv. VI, capítulo XXXVII), situando-se entre as Canárias, e disse que na primeira só se bebe água de chuva, e que na segunda não chove nunca; mas que os habitantes recolhem a água que destilam dos ramos das árvores. Os navegantes que depois visitaram esta ilha não falaram do fenômeno.

7. Em todos os tempos tem-se visto estes fogos na ponta dos mastros durante a tempestade, e os consideram sempre como um sinal de proteção dos céus. Os idólatras viam neles a Cástor e Pólux, e os cristãos a seus santos, e, sobretudo, a São Telmo. Quando havia tantos fogos quanto mastros, além de São Telmo se acreditava que apareciam São Nicolau e Santa Catarina. Os marinheiros ingleses, pouco amigos dos santos, consideravam o fenômeno como sendo de duendes, ao que chamavam *Davy Jones* (DIXON, *Voyage autour du monde*, 1785-88). Em nosso século, os físicos descobriram que esta luz não é outra coisa senão o efeito da eletricidade, a qual, mais ou menos abundante, tanto positiva como negativa, se agita com maior ou menor vivacidade; e como a eletricidade é a causa da tempestade, é natural que cesse no momento em que os fogos desaparecem do alto dos mastros. Desta maneira se explicam fisicamente os fenômenos que admirava o cavalheiro Pigafetta nestes fogos, e dos quais fala frequentemente.

8. Acreditava-se antigamente que a *ave do paraíso*, de que falaremos no livro III, carecendo de patas, não aninhava, e que a fêmea chocava

seus ovos nas costas do macho; porém o autor se refere a outra ave aquática que tem as patas muito curtas e cobertas de penas, de maneira que parece não tê-las, e embora aninhando em terra, a mãe transporta sobre suas costas os filhotes recém-saídos da casca. Bougainville viu estes pássaros nas ilhas Malvinas (Tomo I, p. 117).

9. As *cagacelas* ou estercorários (*Larus parasitus*, de Linneo) são aves de rapina que, não sendo anfíbias, alimentam-se do pescado que os anfíbios tiram da água como presas. Então os estercorários os perseguem até que abandonam a pesca, da qual se apoderam, equivocadamente se pensando ser seu excremento.

10. O *verzino*, ou pau-brasil, é o nome da madeira vermelha que se importava antes da Ásia e da África, e que depois se trazia quase unicamente do reino ao qual deu seu nome, por causa da abundância de suas árvores. Américo Vespúcio, que ali esteve em 1502, quando deu seu nome à América, disse que encontrou *infinito verzino e molto buono* (BARTOLOZZI, *Ricerche storiche sulle scoperte d'Amerigo Vespucci*).

11. Este fruto é o abacaxi (*Bromelia ananas*, de Linneo), tão conhecido hoje; se parece efetivamente ao fruto da pinha. Os espanhóis o chamam de *piña de América*, e os ingleses, *applepine*.

12. A batata ou patata é o *solanum*, ou, melhor dizendo, o *Heliotropium tuberosum*, de Linneo.

13. Em seguida se chamou *Rio de Janeiro*.

14. Vespúcio conta a mesma coisa; disse também como por meio de pedras lhe calcularam sua idade, e como lhe provaram sua longevidade apresentando-lhe o filho, o pai, o avô e o tataravô, todos vivos (*Lettres d'Americ Vespuce*, em BARTOLOZZI, loc. cit.).

15. Rio Estige: rio do inferno da mitologia grega, que era necessário cruzar para chegar ao mundo dos mortos.

16. Em nosso manuscrito o chamamos algumas vezes *Carruaio* e em outras *Carua io*; porém, não há dúvida de que é Juan Carvalhos, de quem falam Castañeda e outros autores da época.

17. Muitos povos selvagens fazem o mesmo hoje em dia, servindo-se de conchas de moluscos por não terem pinças.

18. Vespúcio (*Lettera al Gonfalon. Soderini*, em RAMUSIO, tomo I, p. 131) viu estes cilindros nos habitantes do Brasil. Cook os viu nos habitantes da Califórnia, e Stedman nos do Suriname. Keate (*An account of the Pelew Islands*) crê que estes cilindros foram, inicialmente, de madeiras aromáticas, e que os passavam através da cartilagem do nariz para desfrutar continuamente de um odor agradável.

19. Espécie de macacos que no Brasil se chamam *aquiqui* (*Hist. gên. des voyages*, tomo XX, p. 552).

20. Todos os navegantes que viajaram pelo Sul falam do *sagu*, pão feito com o miolo de uma classe de palmeira chamada *palmito*. (STEDMAN, *Voyage à Surinam*, tomo II, p. 226).

21. Este porco é o *pecari* ou *tajacu* (porco selvagem do Brasil), que tem glândula dorsal que os primitivos exploradores das Índias acreditavam ser o umbigo.

22. São os pelicanos (*Anas rostro plano ad verticem dilatato*, de Linneo).

23. Esta maneira de pensar e trabalhar, que a nós nos parece muito estranha, é comum a todos os habitantes das ilhas do mar do Sul (COOK, *Viagem ao Polo Sul e ao Redor do Mundo*).

24. Nem Fabre nem Ramusio falam desta aventura; porém, em contrapartida, dizem que no momento em que os navios se aproximaram da costa puseram em terra algumas mulheres escravas que estavam grávidas e que se encontravam nos barcos; que saíram completamente sós, pariram, e tomando seus filhos nos braços voltaram aos barcos. Pigafetta nada disse sobre isto, o que nos parece possível, pois vimos que Magalhães havia dado ordens rigorosas para que nenhuma mulher fosse a bordo durante a viagem.

O autor põe aqui uma pequena lista de palavras brasileiras, que acrescentamos ao vocabulário do fim da viagem.

25. Os selvagens com que deparara Magalhães na costa do Brasil eram da grande família *tupi-guarani*. Viviam em ranchos temporários e móveis (*tabas*); cultivavam algodão, milho e mandioca. O chefe guerreiro – *morubixaba* –, de autoridade ilimitada em tempo de guerra, era condicionado, em tempos de paz, pelas decisões de um conselho (*nhimongaba*). Eram antropófagos e polígamos, e reconheciam um poder superior chamado *Tupã* e muitos espíritos malignos sobrevividos do remoto xamanismo asiático.

26. O rio a que se refere é o da Prata, onde Solís, seu descobridor, morreu devorado por canibais.

27. Detiveram-se em Porto Desejado, onde há duas ilhas, chamadas uma dos Pinguins e a outra dos Leões Marinhos. Pigafetta chamou àqueles de *gansos* e a estes de *lobos*. Os primeiros são os *Aptenodita demersa* e os segundos a *Phoca ursina*, chamada comumente de vaca marinha ou foca.

28. Segundo James Cook, habitantes das ilhas do mar do Sul derramavam água na cabeça em sinal de paz.

29. Monsenhor de Paw, do qual falei na introdução, para sustentar sua teoria sobre a América, segundo a qual é um novo

país surgido das águas, onde a natureza está degradada, não queria admitir a existência de gigantes patagões, coisa que argumentaria contra sua teoria. Por isto, disse que Pigafetta não viu bem estes homens e que aumentou muito seu verdadeiro tamanho natural, simplesmente para ter maravilhas que contar. Porém, Paw não merece certamente tanta fé como Pigafetta, que foi uma testemunha ocular sempre fiel e segura quando se refere ao que ele mesmo viu. Falou que os brasileiros eram da forma e da estatura normal dos homens, e disse: *Sono disposti homini e femini come noi*. Assim, quando assegura que os patagões eram gigantes, há motivo para acreditar que lhe pareceram de uma estatura gigantesca. Não se pode supor que se equivocou, pois viveu muito tempo com eles, confrontou suas dimensões com as suas próprias, falou frequentemente com eles, aprendeu muitas palavras de sua língua, tendo-lhe surpreendido sua voz, seu peso, sua força e a enorme quantidade de comida e bebida que necessitavam. De modo que tudo era proporcional ao seu tamanho. Eis aqui as exatas palavras de nosso viajante: *Vene uno de la syatura casi como uno gigante nella nave capitania... Haveva una voce simile a uno toro... Fugendo facevano tanto gran passo, che noi saltando no potevano avanzare li suoi passi... Vene uno homem de statura de gigante... Questo era tanto grande che li davamo alla cintura e ben disposto, haveva la faza grande et dipinta... Certamente questi gigante coreno piu che cavalli... Ognuno de li due che pigliassemo mangiava una sporta de bescoto, et bebeva in una fiata mezo sechio de hacqua et mangiava li sorgi senza scorticarli*. Poder-se-ia permitir a Paw ter dúvidas sobre as afirmativas de nosso autor se as mesmas não tivessem sido confirmadas por outros viajantes. O célebre presidente De Brosses (*Navig. aux Terres Austr.*, tomo II, p. 324) recolheu todos os testemunhos dos que viram os patagões e que falaram deles como sendo de tamanho extraordinário. Os navegantes que estiveram ali depois de aparecer sua obra, tais como Biron, Wallis, Carteret, Cook e Forster, confirmaram todos esta opinião, após terem examinado esta raça monstruosa sobre a qual havia muitas dúvidas. É certo que Winter e Narbourough, e ultimamente Bougainville, têm dito que os patagões não têm mais que seis pés e meio de altura (aprox. 1,90m). Porém, deve-se dar preferência a esta colocação negativa ou aos diversos testemunhos positivos, que falam do que viram, examinaram e mediram? De Brosses destaca que se pode conciliar estes testemunhos, apesar das contradições que parecem oferecer.

Os habitantes das costas mais meridionais da América não são todos de estatura gigantesca. Apenas os integrantes de algumas tribos têm estatura elevada. Como não habitam sempre o mesmo lugar, pode ocorrer que alguns navegantes não os tenham visto. Pigafetta, que os viu, pôde falar com conhecimento de causa.

30. Este animal é o guanaco (*Camelus huanacus*, de Linneo), semelhante à lhama, espécie de camelo ou de ovelha muito conhecida por sua preciosa lã. A descrição que o autor dá deste animal corresponde plenamente ao guanaco. Todos os navegantes dizem que os patagões se vestem com a sua pele.

31. Por estes sapatos, que tornavam as marcas dos pés dos gigantes ainda maiores do que as patas de um urso, foi que Magalhães chamou-os de patagões. Os patagões do sexo masculino são de estatura alta (1,73 a 1,83 metros), mas não tanto como a princípio se pensou. Estavam nos últimos graus do selvagismo, sendo carentes de organização social. Comiam moluscos e lobos marinhos, além de guanacos, com cujas peles, sem curtir, se cobriam.

32. Onde pode-se estudar tudo sobre o guanaco e seus costumes é em DARWIN (C), *Diário da Viagem de um Naturalista ao redor do Mundo*, tomo I.

33. Debry desenhou um patagão nesta atitude. Vê-se como ingurgita uma flecha para curar-se, vomitando o que lhe causava indigestão. Algumas vezes, diante de seus ídolos, os selvagens enfiavam um vara na boca para demonstrar-lhe que não têm nada de impuro por dentro.

34. A religião era o xamanismo, que ainda é praticada por muitos povos, especialmente mongóis e siberianos.

35. Alguns escritores pretenderam demonstrar que Juan de Cartagena era bispo, no entanto, nem Pigafetta teria se esquecido de mencionar esta circunstância nem tampouco Magalhães o teria castigado tão cruelmente se tivesse esta distinção.

36. Este clérigo era Sánchez Reina.

37. Depois de ter abandonado Magalhães no estreito, Gómez passou com o navio San Antonio novamente pelo porto de San Julián, recolheu os dois e os levou para Espanha.

38. O avestruz da América é muito menor que o da África. Os brasileiros o chamam de *manduguacu* ou *ema*, e Linneo de *Struthio rhea*.

39. É o rio de Santa Cruz, que Cook situou nos 51° de latitude meridional. Chamaram-no assim porque entraram nele no dia 14 de setembro, dia de exaltação da cruz (Veja-se o *Anoyme portugais*, de De Brosses).

40. É certo que, quando a esquadra estava neste rio, houve um eclipse do sol a 11 de outubro, sobre o qual falam todos os que escreveram a história desta navegação. Este mesmo eclipse também está anotado nas tabelas astronômicas. Mesmo assim, pretendem que Magalhães se aproveitou deste eclipse para determinar a longitude. Mas Pigafetta não diz nada, nem poderia dizê-lo, porque este eclipse, visível para nós, não pôde sê-lo no extremo meridional da América.

41. Veja-se a introdução, parágrafo XI e seguintes.

42. A topografia do Estreito de Magalhães está detalhada hoje em muitos mapas. Aqui apresentamos a parte meridional da América tal como se encontra desenhada e pintada no manuscrito de Pigafetta. O desenho está longe de ser exato, mas os geógrafos do século XVI não faziam muito melhor, como qualquer um pode perceber ao examinar a geografia de Hortelius. A baía de que Pigafetta fala aqui é a de Posesión.

43. Cabo de Posesión.

44. Primeiro Canal.

45. Baía Boucault.

46. Segundo Canal.

47. O canal a Sudeste é o que se encontra próximo do Cabo Monmouth, chamado Detroit Supposé no mapa de Bougainville.

48. Os navegantes posteriores não mencionaram este rio, o qual se origina provavelmente na Terra do Fogo. Não falam tampouco das sardinhas que surpreenderam nosso autor por sua grande quantidade, o que não é de estranhar porque estes peixes, em suas migrações, permanecem muito pouco tempo no mesmo lugar.

49. O Cabo Desejado forma o extremo ocidental da costa meridional que foi margeada pela chalupa. Porém, os navios navegaram próximo da costa setentrional e se distanciaram da América no Cabo Victoria, chamado assim em homenagem ao navio que primeiro o dobrou e voltou sozinho para a Europa.

50. A montanha que Bougainville chamou Padre Aymón.

51. A Ilha dos Leões.

52. Como é sabido, chamou-se em seguida Estreito de Magalhães, em homenagem a este navegante.

53. *Apium dulce*. Cook também o encontrou, assim como muita cocleária e por causa desta abundância de ervas antiescorbúticas julgou ser preferível a passagem pelo estreito do que pelo Cabo de Hornos.

54. *Triglia volitans*, de Linneo. Provavelmente o peixe de que fala o autor é o *Exocetus volitans*.

Livro Segundo

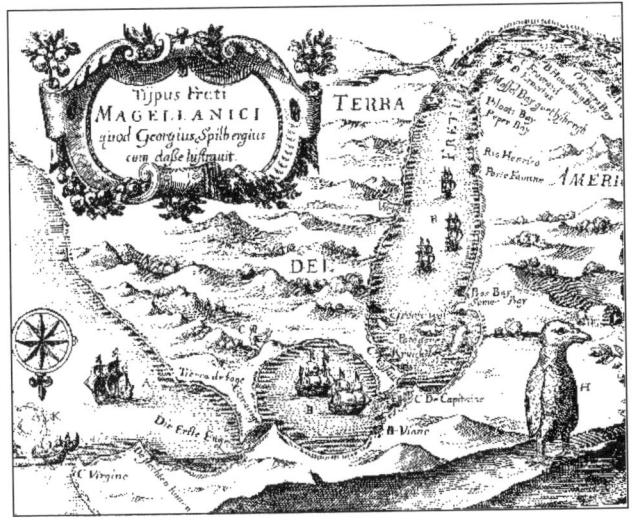

Detalhe de representação do Estreito de Magalhães por Teodore de Bry (1612).

Do Estreito de Magalhães às Filipinas

Desde a Saída do Estreito até a Morte de Magalhães

28 DE NOVEMBRO DE 1520 – Saída do estreito – Na quarta-feira, dia 28 de novembro de 1520, saímos do estreito para entrar no grande mar, ao qual em seguida chamamos de Pacífico, e onde navegamos durante três meses e vinte dias sem provar nenhum alimento fresco. *Má alimentação no oceano Pacífico* – Já não tínhamos mais nem pão para comer, mas apenas polvo impregnado de morcegos, que tinham lhe devorado toda a substância, e que tinha um fedor insuportável por estar empapado em urina de rato. A água que nos víamos forçados a tomar era igualmente pútrida e fedorenta. Para não morrer de fome, chegamos ao ponto crítico de comer pedaços do couro com que se havia coberto o mastro maior, para impedir que a madeira roçasse as cordas. Este couro, sempre exposto ao sol, à água e ao vento, estava tão duro que tínhamos que deixá-lo de molho no mar durante quatro ou cinco dias para amolecer um pouco. Em seguida nós o cozíamos e comíamos. *Penúria extrema* – Frequentemente nossa alimentação ficou reduzida a serragem de madeira como única comida, posto que até os ratos, tão repugnantes ao homem, chegaram a ser um manjar tão caro, que se pagava meio ducado por cada um.[1]

Escorbuto – Mas isto não foi o pior. Nossa maior desdita foi nos vermos atacados por uma enfermidade pela qual as gengivas se incham até o ponto de sobrepassar os dentes, tanto da mandíbula superior como da inferior. E os atacados por esta enfermidade não podiam tomar nenhum alimento.[2] Morreram dezenove, entre eles o gigante patagão e um brasileiro que ia conosco. *Enfermidades* – Além dos mortos tivemos de vinte e cinco a trinta marinheiros enfermos, que sofriam dores nas pernas, nos braços ou em outras partes do corpo. Todos, porém, se curaram. Quanto a mim, nunca darei em demasia graças a Deus, porque durante todo esse tempo e em meio a tantas calamidades, não tive a menor enfermidade.

Mar Pacífico – Chamamos este mar de Pacífico, porque, durante estes três meses e vinte dias que gastamos na travessia de cerca de quatro mil léguas, não houve a menor tempestade.[3] *Ilhas infortunadas* – Não descobrimos neste tempo nenhuma terra, exceto duas ilhas desertas, onde não havia nada além de pássaros e árvores, por cuja razão às chamamos de Ilhas Infortunadas. Não encontramos fundo ao longo das costas e não vimos mais que tubarões. Estão a duzentas léguas uma da outra. A primeira está aos 15° de latitude meridional e a segunda aos 9°.[4] Nosso navio percorria por dia uma média de 67 léguas. E se Deus e sua Santa Mãe não nos tivessem concedido uma feliz navegação, teríamos morrido de fome em tão vasto mar. Acredito que ninguém no porvir se aventurará a empreender uma viagem semelhante.[5]

JANEIRO DE 1521 – Se ao sair do estreito tivéssemos continuado correndo para Oeste pelo mesmo paralelo, teríamos dado a volta ao mundo e, sem encontrar nenhuma terra, teríamos chegado, pelo Cabo Desejado, ao Cabo das Onze Mil Virgens, visto que os dois estão aos 52° de latitude meridional.

O Polo Antártico – O Polo Antártico não tem as mesmas estrelas que o Ártico. Veem-se ali duas aglomerações de estrelinhas luminosas que parecem pequenas nuvens, a pouca distância uma da outra.[6] Em meio a essas aglomerações de estrelas, se destacam duas muito grandes e muito brilhantes, mas cujo movimento é pouco aparente. As duas indicam o Polo Antártico. Ainda que a agulha imantada declinasse um pouco do verdadeiro Norte, sem dúvida buscava sempre o Polo Ártico, porém não girava com tanta força como quando está em seu próprio polo. Quando estávamos em alto-mar, o capitão-geral indicou a todos os pilotos o ponto onde deveriam ir e lhes perguntou que rota pontuavam[7] em seus mapas. Todos responderam que pontuavam segundo as ordens que lhes havia dado. Replicou que pontuavam erradamente e que era preciso ajudar a agulha porque, encontrando-se no Sul, não teria tanta força para buscar o Norte como quando se encontra mesmo no Norte. *Constelação da Cruz* – Estando em alto-mar, descobrimos a Oeste cinco estrelas muito brilhantes, colocadas exatamente em forma de cruz.[8]

Navegamos entre o Oeste e o Noroeste até que chegamos à linha equinocial, a 122º de longitude da Linha de Demarcação.[9] Esta linha de divisão está a 30º a Oeste do meridiano[10] e o primeiro meridiano está a 3º a Oeste do Cabo Verde.

Cipangu – Em nossa rota passamos próximo às costas de duas ilhas muito elevadas, uma das quais nos 20º de latitude meridional e a outra nos 15º. A primeira se chama Cipangu e a segunda Sumbdit-Pradit.[11]

Depois que passamos a linha, navegamos entre o Oeste e Noroeste, depois do que mudamos novamente de direção, correndo a quarto de Sudoeste, até que chegamos nos 13º de latitude setentrional.[12] Esperávamos chegar por esta rota ao Cabo de Gatticara, que os cartógrafos haviam situado nessa latitude. Mas cometeram um erro, porque o cabo se encontra 12° mais ao Norte. É preciso, no entanto, perdoar-lhes este erro, posto que eles nunca visitaram estas paragens como nós.[13]

6 DE MARÇO DE 1521 – **Ilhas dos Ladrões** – Depois de termos percorrido setenta léguas naquela direção, estando já a 12° de latitude setentrional e 146° de longitude, descobrimos a 6 de março, uma quarta-feira, uma pequena ilha a Noroeste e, em seguida, mais duas a Sudoeste. O capitão-geral queria deter-se na maior para buscar víveres e bebidas,[14] porém não foi possível porque, tão pronto buscávamos alguma coisa, os ilhéus vinham até nossos barcos e levavam de volta, sem que pudéssemos nada fazer. Queriam também obrigar-nos a arriar as velas e irmos à terra. Com grande destreza nos arrebataram o esquife que estava atado à popa do navio. Então o capitão, irritado, saltou à terra com quarenta homens armados, queimou quarenta ou cinquenta casas, assim como muitas de suas canoas, e matou sete homens.[15] Conseguiu recuperar o barco, porém julgou conveniente não permanecer na ilha depois destes atos de hostilidade.

No momento em que saltamos a terra para castigar os ilhéus, nossos enfermos rogaram que se matássemos algum habitante da ilha lhes levássemos seus intestinos, pois estavam convencidos de que serviriam para apurar a sua cura.

Traição dos ilhéus – Quando nossos homens feriram os ilhéus com suas flechas (que estes não conheciam), atravessando-lhes de lado a lado, os nativos tentavam arrancar essas flechas de seus corpos, tanto por um lado como por outro. Depois de olhá-las com espanto, frequentemente morriam devido aos ferimentos, o que nos causava compaixão. No entanto, quando viram que partíamos, nos seguiram com mais de cem canoas, mostrando-nos pescado, como se quisessem vendê-lo. Porém, quando estavam bem próximos de nós, passaram a nos atirar pedras. Passamos a toda vela entre eles, mas souberam se esquivar com grande habilidade do choque com nossos navios. Vimos também nas canoas mulheres que choravam e arrancavam os cabelos, provavelmente porque havíamos matado seus maridos.

Costumes – Estes povos não conhecem nenhuma lei e não seguem outra norma que não seja sua própria vontade. Não têm rei nem chefe. Não adoram nada e andam completamente nus. Alguns usam longa barba que, às vezes, misturam-se aos longos cabelos negros puxados para a frente e caindo até a cintura. Usam também chapéus de palma. São robustos e rosados. Sua tez é de uma cor acentuada, porém, nos disseram que nascem brancos e que se tornam morenos com a idade. Colorem com arte os dentes, pintando-os de vermelho e preto, o que para eles é sinônimo de beleza.[16] *As mulheres* – As mulheres são de boa estatura e menos morenas que os homens. Os cabelos são muito negros e lisos e tão compridos que se arrastam sobre o chão. Andam nuas como os homens, embora algumas vezes cubram suas partes sexuais com uma tira estreita, branca como o papel, que é feita de uma substância extraída do talo da palmeira. Trabalham apenas em suas casas e fazem esteiras e cestos com folhas de palmeira, além de outros utensílios semelhantes para uso doméstico. Algumas untam os cabelos e todo o corpo com óleo de coco.[17]

Este povo se nutre de aves, de peixes voadores, de batatas, de uma espécie de figos de meio pé de comprimento,[18] de cana-de-açúcar e de outros frutos. *Casas* – Suas casas são de madeira, cobertas por tábuas, sobre as quais colocam folhas de figueiras, que têm mais de quatro pés de comprimento.[19] Suas habitações são bastante decentes, com vigas e janelas. Seus leitos, bastante confortáveis, são de esteiras de palma finíssima, estendidas sobre palha. *Armas* – Como arma, não possuem mais que uma lança contendo na ponta um espinho pontiagudo de peixe. Os habitantes destas ilhas são pobres, porém muito astutos e, sobretudo, hábeis salteadores. Por isto demos o nome de Ilhas dos Ladrões.[20]

Canoas – Sua diversão favorita é passear com suas mulheres em canoas semelhantes às gôndolas de Fusina,[21] porém mais estreitas. Todas são pintadas de vermelho, preto e branco. A vela é de folhas de palmeira cozida e tem o formato de uma vela latina. É sempre colocada sobre um costado e, do lado oposto, para equilibrá-la e ao mesmo tempo sustentar a canoa, colocam uma grande viga com varas entrecruzadas.[22] Assim navegam sem perigo. O leme é semelhante a uma pá de padeiro, pois é uma grande vara na ponta da qual colocam uma tábua. Não diferenciam a proa da popa e, por isto, tem um timão em cada ponta. São bons nadadores e não temem se aventurar em alto-mar como os delfins.[23]

Ficaram tão maravilhados e surpresos ao nos ver que pensamos que até então não haviam visto outros homens além dos habitantes de suas ilhas.

16 E 17 DE MARÇO DE 1521 – No décimo sexto dia do mês de março, ao pôr do sol, nos encontramos próximos de uma terra elevada, a trezentas léguas das Ilhas dos Ladrões. Percebemos logo que era uma ilha, a que chamam de Zamal.[24] Atrás desta ilha há outra desabitada e, em seguida, soubemos que se chamava Humunu.[25] O capitão-geral desceu a terra na manhã seguinte, para poder atracar com maior segurança e desfrutar de algum repouso, depois de tão longa e penosa viagem. Mandou armar em seguida duas tendas para os enfermos e ordenou que fosse morto um porco.[26]

18 DE MARÇO DE 1521 – **Visita dos ilhéus** – Na segunda-feira, 18 do mês, pela tarde, estando em terra, vimos dirigir-se até nós uma barca com nove homens. O ca-

pitão determinou que ninguém fizesse o menor movimento nem dissesse qualquer palavra sem a sua permissão. Quando saltaram a terra, seu chefe dirigiu-se ao capitão-geral e procurou, através de gestos, expressar o prazer que tinha em nos ver. Quatro deles, que estavam mais adornados, ficaram entre nós, enquanto que os outros foram chamar seus companheiros que estavam pescando, tendo voltado com eles.

O capitão, vendo-os tão pacíficos, fez com que lhes dessem de comer e lhes ofereceu ao mesmo tempo alguns gorros vermelhos, espelhos, bocaxim[27] e algumas joias de marfim, além de outras bagatelas semelhantes. *Produtos da ilha* – Os ilhéus, encantados com a cortesia do capitão, lhe deram pescado, um jarro cheio de vinho de palmeira, que eles chamam *uraca*, bananas de mais de um palmo de comprimento, outras menores e mais saborosas e dois cocos grandes. Depois nos indicaram por gestos que, no momento, não tinham mais nada a oferecer-nos, mas que ao cabo de quatro dias voltariam e nos trariam arroz, que eles chamam *umai*, nozes de coco e outros víveres.

Coqueiros – As nozes de coco são os frutos de uma espécie de palmeira, da qual obtêm seu pão, seu vinho, seu azeite e seu vinagre. Para conseguir o vinho, fazem na copa da palmeira uma incisão que penetra até a medula, de onde brota, gota a gota, um licor parecido como o mosto branco, porém um pouco mais acre. O licor cai em um recipiente que é atado à árvore, o qual é esvaziado duas vezes ao dia, pela manhã e à tarde. O fruto desta palmeira é tão grande quanto a cabeça de um homem e às vezes é ainda maior. Sua primeira camada é verde e tem dois dedos de espessura. É composta de filamentos, que usam para trançar cordas como as utilizadas para amarrar os barcos. Depois tem uma segunda camada, mais dura e mais espessa, a qual queimam para extrair um pó que usam. No interior há uma medula branca, de um dedo de espessura, que se come como substituto do pão, acompanhando a carne ou o pescado. No centro da fruta, em meio a esta medula, se encontra um licor límpido, doce e vivificante. Colocando este licor em um recipiente e deixando-o repousar por algum tempo, toma a consistência de uma maçã. Para obter o azeite, se deixa a medula apodrecer embebida no licor. Em seguida se cozinha, resultando um azeite espesso como a manteiga. Para conseguir o vinagre, se deixa repousar somente o licor, expondo-o ao sol. Então ele torna-se ácido e semelhante ao vinagre que se faz com o vinho branco. Até nós conseguimos fazer com esta fruta um licor que se parecia com leite de cabra. O processo consistiu na raspagem da medula, removendo-a em seu mesmo licor e depois coando com um pano. Os coqueiros se parecem com as palmeiras que produzem tâmaras,[28] porém seus troncos não têm tantos nós, embora não sejam lisos. Uma família de dez pessoas pode subsistir com dois coqueiros, fazendo a incisão alternativamente a cada semana em um e deixando o outro repousar. Nos disseram que um coqueiro vive um século completo.

Os ilhéus se familiarizaram tanto conosco que pudemos aprender os nomes de muitas coisas, sobretudo dos objetos que nos rodeavam. Por eles soubemos, entre outras coisas, que esta ilha, que é muito grande, se chama *Zuluán*. Eram corteses e honrados.

Produtos da ilha – Para demonstrar-nos sua amizade, conduziram nosso capitão em suas canoas até seus armazéns de especiarias, tais como cravo, canela, pimenta, noz moscada, ouro etc. Por seus gestos, nos fizeram entender que os países para os quais nos dirigíamos forneciam estes gêneros em abundância. O capitão, por sua vez, convidou-os a subir ao navio, onde reuniu tudo o que poderia assombrar-lhes pelo aspecto da novidade. No momento em que iam embora, mandou disparar um tiro de canhão, o que os assustou de tal modo que muitos estiveram a ponto de se lançar ao mar. Mas, em seguida, o capitão os convenceu de que não tinham nada a temer e então nos deixaram tranquilamente e satisfeitos, com promessas de que voltariam repetidas vezes. *Ouro* – A ilha deserta em que havíamos nos estabelecido era chamada de *Humunu* pelos ilhéus, porém nós a denominamos de Aguada dos Bons Sinais (*Acquada da li buoni segnali*), porque encontramos nela duas fontes de água excelente e descobrimos os primeiros indícios de ouro neste país. *Frutos* – Também encontramos nesta ilha o coral branco e muitas árvores cujo fruto, menor que nossas amêndoas, se assemelham a pinhões. Também existem muitas espécies de palmeiras, desde as que produzem frutos comestíveis até as que não dão nada.

17 DE MARÇO DE 1521 – **Arquipélago de San Lázaro** – No quinto domingo da Quaresma, que se chama Lázaro, notamos ao nosso redor várias ilhas, às quais demos o nome de Arquipélago de San Lázaro.[29] Está situado a 10° de latitude setentrional e a 161° de longitude da Linha de Demarcação.[30]

22 DE MARÇO DE 1521 – **Presentes dos ilhéus** – Na sexta-feira, 22 do mês, os ilhéus cumpriram sua palavra e vieram com duas canoas cheias, com nozes de coco, laranjas, um cântaro de vinho de palmeira e um galo, para que víssemos que tinham criação de galinha. Compramos tudo o que trouxeram. Seu chefe era um velho, que tinha o rosto pintado e usava brincos pendentes de ouro nas orelhas. Os integrantes de seu séquito usavam braceletes de ouro e lenços ao redor da cabeça.

Passamos oito dias próximos desta ilha e o capitão saltava diariamente a terra para visitar os enfermos, aos quais levava vinho de coqueiros, que lhes fazia muito bem.

Grandes buracos nas orelhas – Os habitantes da ilhas próximas à que estávamos tinham buracos tão grandes nas orelhas e o extremo delas era tão alargado que se podia enfiar o braço por entre eles.[31]

Costumes – Estes povos são gentis[32] e andam desnudos, não tendo mais que um pedaço de casca de árvore para ocultar suas partes naturais, que alguns dos chefes cobrem com uma faixa de algodão bordada em seda nos dois extremos. São de cor acentuada e normalmente corpulentos. Costumam tatuar-se e engraxar o corpo com óleo de coco, o que é feito, segundo dizem, para preservarem-se do sol e do vento. Têm os cabelos negros e tão longos que passam da cintura. Suas armas são machetes, escudos e lanças revestidas de ouro. Usam como instrumento de pesca os dardos, arpões e redes semelhantes às nossas. Suas embarcações se parecem também com as que utilizamos.

25 DE MARÇO DE 1521 – **O autor em perigo** – Na segunda-feira santa, 25 de março, corri um grande perigo. Estávamos prestes a levantar as velas e eu queria pescar. Tendo descansado o pé sobre uma verga molhada pela chuva, escorreguei e caí no mar sem que ninguém me visse. Afortunadamente apareceu ante meus olhos a corda de uma vela, que pendia sobre a água. Agarrei-me a ela e gritei com tanta força que me ouviram e me salvaram com o esquife. O fato não deve ser atribuído aos meus merecimentos, mas exclusivamente à misericordiosa proteção da Santíssima Virgem.

Cenalo, Abarien – Partimos no mesmo dia e, rumando entre Oeste e Sudoeste, passamos por meio de quatro ilhas chamadas Cenalo, Huinangan, Ibusson e Abarien.

28 DE MARÇO DE 1521 – Na quinta-feira, 28 de março, viramos a proa a uma ilha em que havíamos visto fogueiras durante a noite anterior. Estando a pouca

distância, vimos uma pequena barca que se chama *boloto*, com oito homens, aproximando-se de nosso navio. *Língua malaia* – Nosso capitão tinha um escravo nascido em Sumatra, que antigamente chamavam Taprobana,[33] o qual foi de grande valia, tendo provado a sua utilidade ao usar a língua de seu país para se comunicar com os ilhéus, que o compreenderam[34] e se colocaram a alguma distância de nosso navio. Todavia, não quiseram subir a bordo e nem mesmo se aproximar em demasia. Vendo sua desconfiança, o capitão lançou ao mar um gorro vermelho e algumas bugigangas atados a uma tábua. Eles recolheram as ofertas demonstrando grande alegria, mas partiram em seguida e soubemos que iam advertir seu rei de nossa chegada.

Duas horas depois, vieram até nós dois *balangués* (nome que dão a seus grandes barcos) cheios de homens. O rei estava no maior, sob uma espécie de baldaquim de esteiras. Quando chegou perto de nosso navio, o escravo de nosso capitão falou-lhe algumas palavras que entendeu muito bem, porque os reis destas ilhas falam muito bem. Ordenou então a alguns dos que o acompanhavam que subissem em nosso navio. Mas ele permaneceu em seu *balangué*.

Ilhéus de Butuan – O capitão acolheu afavelmente aos que subiram a bordo e lhes deu também alguns presentes. Quando o rei ficou sabendo disto, no retorno de seus súditos, quis dar ao capitão um lingote de ouro e uma cesta cheia de gengibre, mas este, agradecendo, recusou a oferta. Ao anoitecer, a esquadra ancorou próximo à casa do rei.

29 DE MARÇO DE 1521 – **Visita do rei** – No dia seguinte, o capitão mandou a terra o escravo que servia de intérprete para que dissesse ao rei que se tivesse alguns víveres nós pagaríamos muito bem. Ao mesmo tempo, lhe assegurava que não vínhamos hostilmente, mas apenas

como amigos. O rei resolveu então vir pessoalmente ao nosso navio, sendo conduzido em nossa chalupa com seis ou oito de seus principais auxiliares. Subiu a bordo, abraçou o capitão e lhe presenteou com três vasos de porcelana cheios de arroz cru, cobertos com folhas, além de dois dourados e outras coisas. Por sua vez, o capitão lhe ofereceu uma túnica de feitio turco, nas cores vermelho e amarelo, e um fino gorro vermelho. Também ofereceu alguns presentes aos homens do seu séquito. A uns deu espelhos e a outros deu facas. Em seguida mandou servir o desjejum e disse ao rei, através do escravo intérprete, que queria viver fraternalmente com ele, o que o deixou emocionado.

Astúcia do capitão – Em seguida o capitão colocou diante do rei telas de diferentes cores e outros artigos. Mostrou-lhe também todas as armas de fogo, inclusive a artilharia pesada, tendo mandado dar alguns canhonaços, para espanto dos ilhéus. Mandou ainda que um dos marinheiros se vestisse com as peças de uma armadura completa e ordenou a três homens que lhe dessem golpes de sabre e o apunhalassem. Queria demonstrar ao rei que nada poderia ferir um homem armado desta maneira. Voltando-se para o intérprete, o soberano quis saber se um homem assim armado poderia combater contra cem outros, mostrando estar imensamente impressionado. "Sim" – respondeu o intérprete em nome do capitão – "e cada um dos três navios leva duzentos homens desta maneira". Foi-lhe mostrado depois cada peça de armadura, separadamente.

Posteriormente, foi conduzido ao castelo de popa, onde lhe foi mostrado o mapa de navegação e a bússola, sendo-lhe explicado como havíamos encontrado o estreito para chegar ao mar em que estávamos e quantas luas havíamos passado no mar sem ver terra.

Ainda espantado com o que via e ouvia, o rei pediu licença ao capitão para retirar-se e pediu-lhe que enviasse com ele dois de seus homens para que pudessem ver algumas particularidades de seu país. O capitão nomeou a mim e a um outro para que acompanhássemos o rei.

O autor segue com o rei – Quando pisamos em terra, o rei elevou as mãos para o céu e se voltou em seguida para nós, que fizemos o mesmo gesto, assim como todos que nos seguiam. Depois o rei me tomou pela mão, fazendo o mesmo um outro com o meu companheiro. Caminhando deste modo chegamos a uma cobertura de palhas em que havia um *balangué* de cerca de cinquenta pés de comprimento, semelhante a uma galera. Nos sentamos na popa e procuramos nos fazer entender através de gestos, porque não tínhamos intérprete. Os acompanhantes do rei permaneciam em pé, armados com lanças e escudos. *Merenda* – Nos serviram em seguida um prato com carne de porco e um grande cântaro cheio de vinho. A cada bocado de carne bebíamos uma taça de vinho. E quando não tomávamos toda, se derramava a sobra em outro cântaro. *Cerimônias ao beber* – Sempre que o rei queria beber, elevava as mãos ao céu antes de pegar a taça. Depois a dirigia a nós, porém, no mesmo momento em que a estendia com a mão direita, fazia também um movimento brusco de extensão do braço esquerdo, com o punho cerrado. A primeira vez em que fez esta cerimônia acreditei que ia me dar um soco. Permanecia nesta atitude durante todo o tempo em que bebia. Quando eu percebi que os outros faziam a mesma coisa, tratei de imitá-lo. Assim tomamos nossa refeição e não pude deixar de comer carne, embora fosse uma sexta-feira do período santo, de abstenção. Antes que chegasse a hora de comer, fiz a entrega ao rei de alguns objetos que trouxera para este fim específico. Ao mesmo tempo, perguntei-lhe o nome de muitas coisas em sua língua. Eles ficaram muito surpresos quando me viram escrevendo esses nomes.

Ceia – Quando chegou a hora do jantar, houve as mesmas cerimônias ocorridas por ocasião do lanche. Mais uma vez serviram porco cozido, em grande prato de porcelana, que veio acompanhado de outros dois. Dali, passamos ao palácio do rei, que tinha a forma de um monte de feno. Era coberto com folhas de bananeira e suspenso do solo, até uma boa altura, por quatro vigas grossas. Depois de entrarmos, o rei nos fez sentar sobre esteiras de palha, com as pernas cruzadas. Meia hora mais tarde, trouxeram um prato de pescado assado, cortado em pedaços, gengibre recém-cozido e vinho. Neste meio tempo chegou o filho mais velho do rei, que se sentou a meu lado. Serviram depois outros pratos, sendo um de pescado ao molho e outro de arroz, os quais comi em companhia do príncipe herdeiro. Meu companheiro bebeu descontroladamente e se embriagou.

Suas luzes são feitas com uma resina que extraem de uma árvore, a qual chamam de *anime*, envolta em folhas de palmeira ou de figueira.

A cama – Depois de fazer-nos entender de que pretendia descansar, o rei se retirou e nos deixou com seu filho, em companhia do qual dormimos sobre as esteiras de palha, apoiando a cabeça em almofadas feitas de folhas de árvores.

30 DE MARÇO DE 1521 – Na manhã seguinte, o rei veio ver-me muito cedo e tomando-me pela mão conduziu-me à cobertura onde havíamos feito o lanche no dia anterior, para que juntos tomássemos o desjejum. Porém, como nossa chalupa viera buscar-nos, dei minhas escusas ao rei e parti com meu companheiro. O rei estava de muito bom humor e nos beijou as mãos, ato que nós retribuímos.

Seu irmão, que era rei de outra ilha,[35] nos acompanhou com três homens. O capitão-geral o reteve até a hora de comer e lhe presenteou com algumas bugigangas.

O rei de Butuan – O rei que nos acompanhou disse que em sua ilha havia pepitas de ouro tão grossas quanto nozes ou até mesmo ovos. E que todos os vasos, pratos e adornos de suas casas eram deste metal.[36] *Suas vestimentas* – Estava muito bem vestido segundo a moda do país e era o homem mais garboso que vi entre esses povos. Seus cabelos negros caíam sobre as costas, um véu de seda cobria sua cabeça e levava nas orelhas dois pendentes de ouro em forma de anel. *Adornos* – Da cintura aos joelhos vestia um tecido de algodão bordado em seda. Carregava uma adaga ou espada com cabo de ouro, sendo que a bainha era de madeira muito bem trabalhada. Sobre cada um de seus dentes reluziam três pontos de ouro,[37] de modo a perceber-se que os dentes estavam quase que totalmente cobertos com este metal. Sua pele, bronzeada, ostentava desenhos coloridos.

Residia normalmente em uma ilha em que estão os dois países, Butuan e Calagán,[38] porém, quando os reis queriam conferenciar entre si, o faziam na ilha de Massana, que é a que estávamos antes. O primeiro se chamava rajá (rei) Colambu e e outro rajá Siagu.

31 DE MARÇO DE 1521 – **Missa rezada em terra** – No domingo da Páscoa, último dia de março, o capitão-geral enviou a terra, muito cedo, o capelão com vários marinheiros para que preparassem o necessário para ser rezada a missa. Ao mesmo tempo, despachou o intérprete para comunicar ao rei que iríamos à ilha, não para comer com ele, mas para celebrar uma cerimônia de nosso culto. O rei aprovou plenamente e nos mandou dois porcos recém-abatidos.

Seguimos então formados até o lugar em que se daria a missa e que não era muito longe da praia. Antes de começar a missa, o capitão molhou os reis com água de almíscar. Na oferenda, foram, como nós, beijar a cruz e na consagração adoraram a eucaristia com as mãos juntas, imitando sempre o que fazíamos. Neste momento, conforme fora combinado, os navios fizeram uma descarga cerrada de artilharia. Depois da missa realizamos uma dança de espada que agradou muito aos reis. *Fincamos a cruz* – O capitão mandou trazer uma grande cruz, com os pregos e a coroa de espinhos, diante da qual nos prostramos, sendo imitados pelos ilhéus. Através do intérprete, o capitão disse aos reis que esta cruz era o estandarte que lhe fora confiado por seu imperador, para que fincasse no melhor lugar que pisasse. Por conseguinte, queria erguê-la nesta ilha, como um fator de reconhecimento e de proteção pois, dali em diante, todo o navio europeu que chegasse à ilha saberia, ao ver a cruz, que ali havíamos sido recebidos como amigos e não cometeriam nenhuma violência contra as pessoas ou propriedades locais. Disse que era preciso colocar a cruz sobre a parte mais elevada das cercanias, para que todos pudessem vê-la e que a cada manhã deveriam adorá-la, pois se assim o fizessem, nem o raio, nem as tormentas lhes provocariam danos. Os reis, que não duvidavam de nenhum modo do que o capitão acabava de dizer-lhes, agradeceram a honra e disseram que teriam um grande prazer em executar o que acabava de propor-lhes.

Religião – O capitão perguntou-lhes qual era a sua religião, se eram mouros ou pagãos. Responderam que não adoravam as coisas terrestres e, elevando as mãos juntas e os olhos para o céu, fizeram-lhe compreender que adoravam um ser supremo que chamavam *Abba*, o que comoveu o nosso capitão. Então, o rajá Colambu, elevando as mãos ao céu, disse que desejava dar-lhe algumas provas de sua amizade.

O capitão disse ao rei que, se ele tivesse inimigos, teria prazer em juntar-se a ele, com seus navios e seus guerreiros, para combatê-los. O rei respondeu que, na verdade, estava em guerra com os habitantes de duas ilhas, mas que a ocasião não era oportuna para atacá-los e lhe agradeceu. Acertaram então que ao meio-dia se fincaria a cruz no cume de uma montanha, tendo a festa terminado com disparos de nossos artilheiros, formados em linha de batalha. Depois disso, o capitão e o rei se abraçaram e retornamos ao nosso navio.

Terminado o almoço, saltamos a terra sem armas, vestindo gibão e, acompanhados dos reis, subimos até a montanha mais alta das redondezas e fincamos a cruz. Durante a cerimônia, o capitão-geral insistiu em enumerar as vantagens que o fato traria para os ilhéus. Depois da adoração à cruz, descemos a montanha, atravessando extensos campos cultivados, e chegamos à cobertura onde estava o *balangué*, onde nos serviram uns refrescos.

O capitão-geral perguntou qual era o porto próximo em melhores condições para abastecer seus navios e lhe disseram que havia três: Ceylon, Zubu e Calagán,[39] porém que Zubu era o melhor. E como o viram decidido por este último, lhe ofereceram pilotos para conduzir-lhe. O capitão fixou nossa partida para a manhã seguinte e ofereceu reféns aos reis para responder pela volta dos pilotos. Os reis concordaram.

1, 2, 3 E 4 DE ABRIL – **Colheita de Arroz** – Pela manhã, já com tudo pronto para levantar âncoras, o rei Colambu disse que de bom grado serviria ele mesmo de piloto, mas tinha que permanecer ali por uns dias para a colheita do arroz e outros produtos. Ao mesmo tempo, pediu ao capitão que lhe emprestasse alguns homens da tripulação para que o trabalho fosse feito mais rapidamente. Efetivamente o capitão mandou-lhe alguns homens, porém os reis haviam comido e bebido tanto no dia anterior que não conseguiram dar qualquer ordem para o nosso pessoal.

Como consequência, nossa gente não fez nada e nos dois dias seguintes o pessoal da terra teve que trabalhar muito para acabar a tarefa.

Usos e costumes – Passamos sete dias nesta ilha, durante os quais tivemos ocasião de observar seus usos e costumes. Andam nus, com o corpo pintado, cobrindo apenas suas partes naturais com um pedaço de tecido. As mulheres usam uma espécie de saia feita de ramos de árvores. Seus cabelos negros chegam algumas vezes até os pés. As orelhas são adornadas com aros e pingentes de ouro. *Areca* – São bons bebedores e mascam continuamente um fruto chamado areca,[40] parecido com uma pera. *Bétel* – Este fruto é cortado em pedaços e envolto em folhas da mesma árvore – chamada *betre*,[41] que se assemelha à amoreira – e mesclado com um pouco de cal. Depois de o haver mascado bem o cospem e sua boca fica toda vermelha. Todos os ilhéus mascam o fruto do betre, pois, segundo eles, refresca o coração e morreriam se não o fizessem. *Animais* – Os animais desta ilha são cachorros, gatos, porcos, cabras e galinhas. *Vegetais* – Os vegetais comestíveis são arroz, milho e nozes de coco, tendo ainda laranja, limão, banana e gengibre, além de cera. *Ouro* – O ouro abunda, como provam dois acontecimentos de que fui testemunha. Um homem nos trouxe um balaio de arroz e figos e nos pediu em troca uma faca. O capitão, em vez de faca, lhe ofereceu em troca algumas moedas, entre elas uma dobra de ouro. Ele porém as recusou e insistiu na faca. Outro ofereceu um grosso lingote de ouro maciço por seis colares de contas de vidro. Porém, o capitão proibiu expressamente esta troca, temendo que os ilhéus entendessem que apreciávamos mais o ouro do que o vidro e as outras mercadorias.

A ilha de Massana está a 9° 40' de latitude Norte e 162° de longitude ocidental da Linha de Demarcação e ainda a 25 léguas da Ilha Humunu.[42]

Dali nos dirigimos para Sudeste, passando por entre cinco ilhas, Ceylon, Bohol, Canigán, Baybay e Gatigán.[43] *Morcegos* – Nesta última, vimos morcegos do tamanho de águias. Matamos um e o comemos, encontrando um sabor de frango. *Patos* – Há também pombas, papagaios e outras aves negras muito grandes como uma galinha e que põem ovos comestíveis tão volumosos como os do pato. Nos disseram que a fêmea põe seus ovos na areia e que o calor do sol é suficiente para chocá-los. De Massana a Gatigán tem vinte léguas.

6 DE ABRIL DE 1521 – **Polo, Ticobón e Pozón** – Partimos de Gatigán deixando o cabo a Oeste e paramos nas proximidades de três ilhas, Polo, Ticobón e Pozón,[44] à espera do rei de Massana, que queria ser nosso piloto, mas que não podia seguir-nos com sua canoa. Quando nos alcançou, o fizemos subir ao nosso navio com os seus acompanhantes, o que nos deixou muito satisfeitos. Em seguida chegamos a Cebu, que dista quinze léguas de Gatigán.

7 DE ABRIL DE 1521 – Domingo, 7 de abril, entramos no porto de Cebu. Passamos próximos de muitas aldeias, onde vimos casas construídas sobre árvores. Quando chegamos perto da vila, que tem o mesmo nome da ilha, o capitão mandou arriar as velas e foi disparada uma cerrada carga de artilharia, o que causou grande alarme entre os ilhéus.

Embaixador junto ao rei – O capitão enviou então um dos seus navegadores, juntamente com o intérprete, como embaixador junto ao rei de Cebu. Ao chegarem à vila, encontraram o rei rodeado de uma multidão, todos apavorados com o bombardeio. O intérprete começou por acalmar o rei, dizendo-lhe que era um costume nosso e que todo este barulho não era mais que uma saudação em sinal de paz e amizade para honrar ao mesmo tempo ao rei è a ilha. Com isto, todo o mundo se acalmou. Por intermédio de seu ministro, o rei perguntou ao intérprete o que poderia atrair-nos em sua ilha e o que queríamos. O intérprete respondeu que seu amo, comandante da esquadra, era um capitão a serviço do maior rei da Terra, e que o objetivo de sua viagem era chegar a Molucco. Porém, que o rei de Massana, onde estiveram anteriormente, fizera tantos elogios de sua pessoa que resolveram chegar até ali para ter o prazer de visitá-lo e, ao mesmo tempo, para negociar, dando em troca nossas mercadorias.

O rei mandou que dissesse ao capitão que lhes dava as boas-vindas, mas que o advertia que todos os navios que entravam em seu porto para comerciar deviam iniciar por pagar um imposto. E acrescentou que não fazia ainda quatro dias que este tributo havia sido pago por um junco de Sião, que comprou escravos e ouro. Chamou em seguida a um comerciante mouro que vinha também do Sião com o mesmo fim, para que testemunhasse a verdade que acabava de antecipar.

O intérprete respondeu que seu amo, por ser capitão de um monarca tão grande, não pagaria impostos a nenhum rei da Terra. E acrescentou que se o rei de Cebu quisesse a paz, o capitão lhe traria a paz, mas se quisesse a guerra a capitão faria a guerra. O comerciante do Sião, aproximando-se do rei, disse em sua linguagem: *Cata rajá, chita*, isto é, "Senhor, tenha cuidado. Estas gentes (nos consideravam portugueses) são as que conquistaram Calicut, Malaca e todas as Grandes Índias". O intérprete, que havia compreendido o que o comerciante acabava de dizer, acrescentou que o seu rei era, por seus exércitos e por suas esquadras, muito mais poderoso do que o rei de Portugal, de quem o siamês acabava de falar. Que o seu era o rei da Espanha e imperador de todo o mundo cristão. E advertiu que se quisesse tê-lo por inimigo mandaria homens e navios suficientes para destruir a sua ilha. O mouro confirmou ao rei o que acabava de dizer o intérprete. Mostrando-se bastante confuso, o rei disse que iria discutir o assunto com os seus e que na manhã seguinte daria a resposta. Entretanto, fez servir ao emissário do capitão e ao intérprete um desjejum de muitos pratos, todos de carne, servidos em louça de porcelana.

Depois do desjejum, nossos emissários retornaram a bordo e relataram tudo o que havia sucedido. O rei de Massana que, com exceção do rei de Cebu, era o mais poderoso destas ilhas, saltou a terra para anunciar ao outro soberano as boas intenções do capitão-geral para com ele.

No dia seguinte, o escrivão de nosso navio e o intérprete foram a Cebu. O rei, acompanhado de seus assessores, dirigiu-se ao encontro de nossos representantes e, depois que se sentaram diante deles, lhes disse que, convencido pelo que acabava de saber, não só não cobraria nenhum imposto como ainda estava disposto, se o exigissem, ser ele mesmo tributário do imperador. *Acordo concluído entre o capitão e o rei* – Foi-lhe respondido que não queríamos outra coisa do que o privilégio de ter o comércio exclusivo da ilha. *Cerimônia em sinal de amizade* – O rei concordou e mandou dizer ao nosso capitão que se quisesse ser verdadeiramente seu amigo, não precisaria fazer nada além do que tirar um pouco de sangue do braço direito e enviar-lhe. Ele, por sua parte, faria a mesma coisa, o que seria o marco de uma amizade sólida. O intérprete assegurou que tudo seria feito conforme desejava. O rei acrescentou que todos os capitães seus amigos que chegavam a seu porto lhe davam presentes e que, em reciprocidade, recebiam outros. E que deixava ao capitão a escolha de ser o primeiro a dar ou a receber os presentes. O intérprete disse ao rei que, se ele dava tanta importância a este costume, poderia ele mesmo começar, no que ele concordou.

9 DE ABRIL DE 1521 – **Mensagem do mercador mouro** – Na terça-feira pela manhã, o rei de Massana veio a nosso navio com o mercador mouro e, depois de ter saudado ao nosso capitão por parte do rei de Cebu, disse que tinha o encargo de avisar-lhe que o rei se ocupava em reunir todos os víveres que podia encontrar para presentear-lhes e que à tarde enviaria seu sobrinho com alguns ministros para estabelecer a paz. O capitão agradeceu e lhes mostrou ao mesmo tempo um homem armado da cabeça ao pés, dizendo-lhes que, caso fosse necessário combater, todos nós iríamos nos armar da mesma maneira. O mouro tremeu de medo ao ver o homem armado daquele jeito. Porém, o capitão o tranquilizou, assegurando-lhe que nossas armas eram tão fatais aos nossos inimigos como vantajosas aos nossos amigos. E que estávamos dispostos a eliminar os inimigos de nosso rei e de nossa fé com a mesma facilidade com que enxugamos o suor do rosto com um lenço. O capitão falou em tom firme e ameaçador, para que o mouro contasse ao rei.

Embaixador com o capitão – Efetivamente, depois do almoço vimos chegar o sobrinho do rei, que era seu herdeiro, com o rei de Massana, o mouro, o ministro, o preboste maior e oito chefes da ilha, para acertar um tratado de paz conosco. O capitão os recebeu com muita cordialidade. Sentou-se em um cadeirão de veludo, oferecendo assentos iguais ao rei de Massana e ao príncipe. Os chefes se sentaram em assentos de couro e os demais em esteiras.

Aliança – O capitão perguntou, através do intérprete, se era costume fazer os tratados em público e se o príncipe e o rei de Massana tinham poderes necessários para concluir um acordo com ele. Responderam que estavam autorizados e que se podia falar em público. O capitão os fez compreender as vantagens desta aliança, rogou a Deus que a confirmasse no céu e acrescentou muitas outras coisas que inspiraram amor e respeito por nossa religião.

Perguntou se o rei tinha filhos varões e lhe responderam que tinha apenas filhas, sendo que a mais velha era mulher de seu sobrinho, enviado como embaixador, e que, por causa deste matrimônio, o considerava como príncipe herdeiro. *Sucessão para os filhos* – Falando da sucessão entre eles, soubemos que quando os pais atingem uma certa idade, o mando passa para os filhos, sem consideração alguma. Isso escandalizou o capitão, que condenou o costume, dizendo que Deus, criador do céu e da terra, ordenou expressamente que os filhos honrassem a seu pai e sua mãe, ameaçando com o castigo do fogo eterno aos que transgredissem este mandamento. Para que se compenetrassem melhor da força deste divino preceito explicou que todos estamos igualmente sujeitos às leis divinas, porque todos descendemos de Adão e Eva. *Começa a conversão* – Continuou explicando outras passagens da História Sagrada, que agradaram aos ilhéus, despertando neles o desejo de conhecer melhor os princípios de nossa religião, de tal modo que pediram ao capitão para que, quando fosse embora, deixasse um ou dois homens capazes de ensinar-lhes a entender que a coisa mais importante era que se batizassem, o que poderia fazer antes de sua partida. Que agora não poderia deixar nenhuma pessoa de sua tripulação, mas que voltaria outra vez trazendo sacerdotes, para que lhes instruíssem nos mistérios de nossa religião. Eles confirmaram sua satisfação dizendo que se contentariam em receber o batismo, mas, salientaram que antes deveriam consultar o rei sobre o assunto. O capitão advertiu que não deveriam batizar-se somente pelo temor que suas palavras poderiam inspirar-lhes ou pela esperança de obter bens materiais. Contudo, não dissimulou que os que se tornassem cristãos seriam os preferidos e os melhor tratados. Todos manifestaram que não era por medo nem por complacência seu desejo de abraçar nossa religião, mas por impulso de sua própria vontade.

O capitão prometeu dar-lhes armas e uma armadura completa, segundo a ordem que recebeu de seu soberano, advertindo-os, ao mesmo tempo, que deveriam também batizar suas mulheres, sem o que teriam que se separar delas e não poderiam ter relação carnal com elas, sob pena de cair em pecado mortal. Tendo sabido que os nativos diziam enfrentar frequentes aparições do diabo, lhes assegurou que, se se tornassem cristãos, o diabo não se atreveria apresentar-se ante eles até o instante da morte.[45] Os ilhéus, convencidos e persuadidos por tudo que acabavam de ouvir, responderam que tinham plena confiança no capitão, o qual, emocionado e chorando, os abraçou a todos.

Aliança com Espanha – Tomou a mão do príncipe e do rei de Massana e disse que, pela fé que tinha em Deus, pela fidelidade devida ao imperador seu senhor e pelo hábito[46] que levava, estabelecia e prometia paz perpétua entre o rei da Espanha e o rei de Cebu. Os embaixadores prometeram o mesmo.

Presentes do rei – Depois desta cerimônia foi servida uma refeição e, imediatamente, os nativos presentearam ao capitão, em nome do rei de Cebu, grandes cestos cheios de arroz, porcos, cabras e galinhas, excusando-se de que a oferta que faziam não estava à altura de tão grande personagem.

Presentes do capitão – Por sua parte, o capitão deu ao príncipe um tecido branco finíssimo, um gorro vermelho, alguns colares de contas de vidro e uma taça de vidro com detalhes dourados. Não deu nada ao rei de Massana, porque acabara de presentear-lhe uma túnica de Cambaya[47] e outras coisas. Também deu presentes a todos os que acompanharam o príncipe.

Pigafetta leva os presentes ao rei – Depois que se foram, o capitão enviou-me à terra, com mais outro, para levar os presentes destinados ao rei, os quais constituíam de uma túnica de estilo turco, em seda amarela e violeta, um gorro vermelho e vários colares de contas de cristal. Tudo isto foi levado em uma bandeja de prata. E mais duas taças de vidro com detalhes dourados, que levamos na mão.

O vestido e os adornos do rei – Estando na ilha, encontramos o rei em seu palácio, acompanhado de uma grande corte. Estava sentado ao solo sobre uma esteira de palma. Estava quase que totalmente nu, tendo apenas suas partes naturais cobertas com um tecido de algodão, além de um véu bordado à mão ao redor da cabeça, um valioso colar no pescoço e nas orelhas enormes brincos de ouro, na forma de aros rodeados de pedras preciosas. Era pequeno, gordo e pintado caprichosamente a fogo. Ao seu lado, sobre outra esteira, havia dois vasos de porcelana com ovos de tartaruga, que estava comendo. Na frente, tinha quatro cântaros de vinho de palmeira, cobertos com plantas aromáticas. Em cada um dos cântaros havia um canudo de bambu, por onde chupava quando queria beber.[48]

Depois de saudar-lhe, o intérprete lhe disse que o capitão mandava agradecer pelos presentes recebidos e, por sua vez, enviava algumas coisas, não como recompensa, mas como mostra da amizade sincera que acabava de acertar com ele. Terminado o preâmbulo, lhe colocamos a túnica, o gorro na cabeça e apresentamos os outros presentes. Antes de oferecer-lhe as taças de vidro, as beijei e as coloquei sobre minha cabeça, tendo o rei feito a mesma coisa quando as recebeu. Em seguida, nos convidou a comer com ele os ovos e a beber com canudos. Enquanto comíamos, aqueles que estiveram no navio lhe contavam tudo o que o capitão havia dito relativamente à paz e sobre a maneira como os exortou a abraçar o cristianismo.

Música – O rei queria que ficássemos para o jantar, porém, com sua permissão, nos excusamos. O príncipe, seu genro e sobrinho, nos conduziu à sua própria casa, onde encontramos quatro moças que tocavam à sua maneira uma estranha música. Uma batia em um tambor semelhante aos nossos, colocado no solo;[49] outra tocava alternativamente em dois timbres, empunhando uma cravelha; a terceira fazia o mesmo, em um timbre mais alto, e a quarta manejava destramente dois pequenos címbalos, que produziam doces acordes. Conduziam tão bem o compasso, que se via que eram muito inteligentes em música. Os címbalos, que são de bronze ou de outro metal, são fabricados no país de *Sign'Magno*[50] e lhes serviam também de sinos, os quais chamam de *agon*. Além destes instrumentos, os nativos tocam também uma espécie de violino com cordas de cobre.

Nudez das moças – Estas moças eram muito bonitas e quase tão brancas quanto os europeus e não era por serem adultas que deixavam de andar nuas. Algumas, é verdade, usavam uma espécie de saia feita de fibras de árvores, que ia da cintura até os joelhos, mas a maioria andava completamente nua. Tinham buracos muito grandes nas orelhas, onde enfiavam um cilindro de madeira.[51] Os cabelos eram longos e negros e usavam um pequeno véu na cabeça. Não usavam nunca sandálias ou qualquer outro tipo de calçado. Lanchamos na casa do príncipe e voltamos em seguida aos nossos navios.

10 DE ABRIL DE 1521 – **Enterro** – Durante a noite morreu um dos nossos e no outro dia pela manhã voltei à casa do rei, com o intérprete, para pedir-lhe permissão para enterrá-lo e, em caso positivo, que nos indicasse o lugar. O rei, que estava rodeado de um grande número de pessoas de sua corte, disse que, se o capitão já podia dispor dele e de seus súditos, podia igualmente dispor de sua terra. Acrescentei que para enterrar o morto tínhamos que tornar o lugar sagrado e colocar ali uma cruz. O rei não só deu seu consenso, como também prometeu adorar a cruz.

Para provocar nos nativos uma boa impressão sobre nós, escolhemos a praça da vila como o lugar a ser transformado, segundo os ritos da Igreja, no cemitério dos cristãos e enterramos em seguida o morto. Naquela mesma quarta-feira, à noite, enterramos a outro morto.

Comércio, pesos e medidas – Para fazer nosso comércio, desembarcamos muitas mercadorias e as armazenamos em uma casa sob a proteção do rei e a custódia de quatro homens designados pelo capitão. Este povo, amante da justiça, conhece pesos e medidas. Sua balança é constituída por um pau de madeira suspenso, tendo de um lado um prato preso por três cordões, e, do outro, um peso de chumbo equivalente ao do prato, ao qual acrescentam pesos equivalentes a libra, meia-libra etc., após colocar a mercadoria no outro prato. Têm também medidas de comprimento e de capacidade.

Esses ilhéus se entregam apaixonadamente ao prazer e à ociosidade. *Casas* – Fazem suas casas com vigas, tábuas e bambus e têm habitações como nós. São construídas sobre estacas, de modo que debaixo fique um espaço que serve para criação de galinhas, porcos e cabras. *Aves que matam as baleias* – Nos contaram que nestes mares há uma ave negra, semelhante ao corvo, que costuma penetrar pela boca das baleias, quando estas aparecem na superfície, e vão direto ao coração, que arrebatam para comer. A única prova que nos deram deste fato foi dizer que se vê a ave comendo o coração da baleia e que esta é encontrada morta sem coração. Esta ave negra, de bico dentado e que tem carne branca e comestível, é chamada por eles de *Lagan*.[52]

12 DE ABRIL DE 1521 – **Tráfico** – Na sexta-feira abrimos nosso armazém e expusemos nossas mercadorias, para o olhar de admiração e estranheza dos ilhéus. Mas logo começou o negócio e por nossos objetos de bronze, ferro e

outros metais, nos davam ouro. Nossas joias e outras bugigangas se convertiam em arroz, porco, cabra e outros produtos comestíveis. Por quatorze libras de ferro nos davam dez peças de ouro, de valor equivalente a ducado e meio cada uma. Para evitar que os marinheiros dessem tudo que possuíam em troca de ouro, o capitão baixou uma ordem proibindo-se que se demonstrasse demasiada cobiça por aquele metal.

14 DE ABRIL DE 1521 – **Batismo do rei de Cebu** – Tendo o rei de Cebu prometido ao capitão abraçar a religião católica, foi fixado o dia 14 de abril, um domingo, para a cerimônia de seu batismo. Foi montado na praia um tablado, adornado com tapeçarias e folhas de palmeira. Mandamos a terra quarenta homens e mais dois, armados dos pés à cabeça, para compor a guarda real. Quando o cortejo seguiu em direção ao local da cerimônia, os navios dispararam toda sua artilharia, fazendo com que o capitão e o rei se abraçassem emocionados. Subimos ao tablado, onde havia dois cadeirões revestidos de veludo azul e verde, onde sentaram-se o soberano e nosso capitão-geral.

Vantagens para o rei de tornar-se cristão – O capitão disse ao rei que entre as vantagens de tornar-se cristão estava a de vencer mais facilmente aos seus inimigos. O rei respondeu que estava muito contente em converter-se, mesmo sem benefício algum. Mas salientou que lhe agradaria muito poder fazer-se respeitar por certos chefes da ilha que não queriam submeter-se à sua autoridade. O capitão mandou então que trouxessem à sua presença todos esses chefes e lhes disse que se não obedecessem ao rei os mataria a todos e confiscaria seus bens em favor do soberano. Com esta ameaça, todos os chefes prometeram reconhecer sua autoridade.

O capitão assegurou ao rei que depois de sua volta à Espanha retornaria com forças muito mais consideráveis e que se tornaria o mais poderoso monarca daquelas ilhas, como merecia recompensa por ter sido o primeiro que abraçou a religião cristã. O rei agradeceu elevando as mãos para o céu e pediu que deixasse alguns homens com ele, para que o instruíssem nos mistérios e deveres da religião cristã. O capitão concordou, mas com a condição de que lhe confiasse dois filhos de pessoas da ilha para levá-los à Espanha, onde aprenderiam a língua espanhola, para que na volta pudessem dar uma ideia do que viram. Depois de ser fincada uma grande cruz ao lado do tablado, no meio da praça, o capitão anunciou que todos que quisessem se converter ao cristianismo deveriam destruir todos os seus ídolos, substituindo-os pela cruz. Em seguida tomou pela mão o rei, que estava todo vestido de branco, e o batizou. O soberano, que se chamava rajá Humabon, recebeu o nome de Carlos. Também foram batizados o rei de Massana, o príncipe herdeiro, o mercador mouro e muitos outros. Todos receberam nomes cristãos. Em seguida foi rezada a missa, depois da qual o capitão convidou o rei para uma refeição, mas este se excusou e nos acompanhou até nossas chalupas. Ao chegarmos ao navio, nova descarga cerrada foi efetuada.

Batizado da rainha – Terminado o almoço, voltamos a terra com o capelão para batizar a rainha e outras mulheres. Subimos com ela ao tablado e eu mostrei à rainha uma imagem pequena da Virgem com o menino Jesus. A soberana ficou encantada com a imagem e pediu-me que a desse para colocar no lugar de seus ídolos. E eu a dei de bom grado.[53] A rainha recebeu o nome de Joana, a mulher do príncipe chamou-se Catarina e a rainha de Massana passou a ser Isabel. Batizamos nesse dia mais de oitocentas pessoas, entre homens, mulheres e crianças.

A vestimenta da rainha – A rainha, jovem e bela, vestia um traje de tecido branco e negro, tendo na cabeça um grande chapéu de folhas de palmeira em forma de guarda-sol e na copa, também das mesmas folhas, uma tríplice coroa semelhante à tiara do Papa. A boca e as unhas eram pintadas de um vermelho bem vivo. Ao cair da tarde, o rei e a rainha foram até a praia onde estávamos ancorados e ouviram complacentes o estrondo inocente das bombardas, que tanto os havia assustado antes.

22 DE ABRIL DE 1521 – **Religião** – Durante todo este tempo batizamos os indígenas de Cebu e das ilhas adjacentes. No entanto, houve uma aldeia em uma das ilhas em que os habitantes nos desobedeceram. Então, queimamos a aldeia e fincamos no meio uma cruz. Se fossem mouros, isto é, maometamos, teríamos colocado uma coluna de pedra para representar o endurecimento de seu coração.

O capitão baixava a terra todos os dias para assistir à missa, à qual acudiam muitos novos cristãos. Para estes, foi feito um catecismo, com a explicação de muitos dos mistérios de nossa religião.

Juramento dos chefes ao rei – Para que o rei fosse ainda mais respeitado e obedecido, nosso capitão o fez um dia vir à missa vestido com a sua túnica de seda e mandou que viessem também seus dois irmãos, chamados Bondara, o pai do príncipe, e Cadaro, assim como muitos chefes de tribos, chamados Simiut, Sibuia, Sisacai,[54] Magalibe etc. Exigiu que beijassem a mão do soberano e lhe prestassem juramento de obediência.

Juramento do rei à Espanha – Imediatamente, o capitão fez o rei de Cebu jurar que permaneceria submetido e fiel ao rei da Espanha. Feito o juramento, o capitão colocou sua espada diante da imagem de Nossa Senhora e disse ao rei que, depois de tal juramento, era preferível morrer a deixar de cumpri-lo. E salientou que ele mesmo estava disposto a morrer mil vezes a faltar com seus juramentos pela imagem de Nossa Senhora, pela vida de seu senhor o imperador e por seu hábito. Em seguida lhe presenteou uma cadeira de veludo, advertindo-o que deveria fazer com que um chefe a levasse, diante dele, onde quer que fosse.

Joias para o capitão – O rei prometeu ao capitão acatar exatamente o que acabara de dizer-lhe e, para demonstrar sua adesão, mandou preparar as joias que queria presentear-lhe. Estas consistiam de dois pendentes de ouro, muito grandes, dois braceletes e duas pulseiras de ouro, adornados com pedras preciosas. Estas peças de ouro constituem o mais belo adorno dos reis desta região, os quais andam sempre nus e descalços, usando, como já disse, apenas um pedaço de tecido cobrindo suas partes naturais.

Continua a idolatria – O capitão descobriu que o rei e os outros membros da corte não estavam cumprindo a promessa de jogar fora seus antigos ídolos. E, mais do que isto, não só os conservavam como ainda continuavam fazendo sacrifícios para os mesmos, segundo os antigos costumes. Quando o capitão manifestou sua inconformidade com o que estava ocorrendo, eles não negaram o fato, mas procuraram justificá-lo dizendo que não faziam sacrifícios por eles, mas por uma pessoa que estava muito doente. O enfermo era o irmão do príncipe, considerado como o homem mais sábio e mais valente da ilha, e sua doença chegara a um ponto tão grave que há quatro dias perdera a fala.

Cura milagrosa – O capitão ouviu o relato e disse que se tivessem verdadeiramente fé em Jesus Cristo, queimariam todos seus ídolos e batizariam o enfermo, o que, lhes assegurava, iria determinar a cura. Estava tão convencido do que propunha que chegou a apostar sua própria cabeça se a cura não sucedesse imediatamente. Diante de posição tão firme, o rei acabou consentindo. Fomos então, com a maior pompa possível, em procissão desde a praça em que estávamos até a casa do enfermo, que encontramos, efetivamente, em tristíssima situação, imóvel e sem poder falar. Realizamos a cerimônia do batizado dele, de duas de suas mulheres e de dez filhos. Em seguida o capitão perguntou como se encontrava e ele respondeu, repentinamente, que, graças a Nosso Senhor, já estava bem. Fomos todos testemunhas oculares deste milagre e demos graças a Deus, especialmente o capitão. Foi dada ao príncipe uma bebida refrescante, a qual foi-lhe enviada diariamente até o seu pleno restabelecimento. Foi-lhe enviado também um colchão, um cobertor de lã e um travesseiro.

Destruição dos ídolos – Depois do quinto dia o enfermo se levantou e seu primeiro desejo foi queimar, na presença do rei e do povo, um ídolo que venerava e que guardava com muito cuidado em sua casa. Mandou também derrubar os múltiplos templos existentes ao longo das praias, onde o povo costumava se reunir para comer a carne consagrada aos ídolos. Todos os nativos aplaudiram a resolução e se dedicaram a destruir os ídolos, inclusive os da casa do rei, aos gritos de *Viva Castela*, em honra do rei da Espanha.

Sua figura – Os ídolos deste país são de madeira, côncavos ou escavados atrás, com os braços e as pernas separados e os pés voltados para cima. O rosto é grande e da boca despontam quatro presas semelhantes às do javali.[55] Normalmente estão pintados.

A bênção do porco – Já que falamos de ídolos, vou contar algumas de suas cerimônias supersticiosas, entre elas a bênção do porco. Começam tocando grandes sinos e, em seguida, trazem três grandes pratos: dois cheios de peixe assado, tortas de arroz e milho cozido, envoltos em folhas, e o outro com tecidos de Cambaya e duas tiras de palma. Estendem no solo um destes lenços e aparecem duas velhas com curiosos trompetes de bambu.[56] Posicionam-se sobre o lenço, saúdam ao Sol, e se envolvem em outros panos que há no prato. A primeira velha cobre sua cabeça com um lenço, atando as pontas em forma de chifre e, com outro lenço na mão, dança e toca o trompete, invocando de vez em quando o Sol. A outra recolhe uma das tiras de palmeira, toca trompete e, voltando-se para o Sol, murmura algumas palavras. Em continuação, a primeira apanha a outra tira de palmeira, joga fora o lenço, e as duas tocam trompetes e dançam ao redor do porco, que permanece junto ao solo, bem atado. Falando e dirigindo-se ao Sol, a primeira apanha uma taça de vinho e finge beber quatro ou cinco vezes, derramando o líquido sobre o coração do porco. Larga a taça e pega uma lança, sempre dançando e dizendo coisas. Em seguida passa a cravar esta lança no coração do porco, por várias vezes, até que desfere um golpe rápido e certeiro, atravessando-lhe lado a lado. Depois arranca a lança, que é limpa com ervas, e apaga uma tocha que é mantida acesa durante o ritual. A outra velha molha seu trompete no sangue do porco e passa a tocar e a marchar defronte os assistentes, a começar por seu marido. Acabado tudo, as velhas ficam nuas, comem o que havia nos pratos e convidam as demais mulheres a fazer o mesmo. Mas só as mulheres, não os homens. O porco é então assado e enfeitado para ser comido. Nunca comem a carne deste animal se não for purificada desta maneira, sendo que só as velhas podem realizar a cerimônia.

Cerimônias fúnebres – Quando morre um chefe são realizadas também cerimônias singulares, das quais fui testemunha. As mulheres mais respeitadas do lugar dirigem-se à casa do morto, cujo cadáver é colocado em um caixão, ao redor do qual são colocadas várias cordas com ramos de árvore, formando uma espécie de muralha. As mulheres sentam-se ali embaixo, cobertas com um pano branco, e cada uma movimenta uma espécie de leque de palmas, como que para abanar o defunto. Outras, com semblante triste, sentam-se ao redor da casa. Uma das mulheres dirige-se até a cabeceira do caixão e passa a cortar lentamente os cabelos do morto com uma faca. Outra, que tenha sido sua principal mulher (embora cada homem possa ter quantas mulheres quiser, uma é sempre a principal), se estende sobre seu corpo, de modo a tocar boca com boca, mãos com mãos e pés com pés. Enquanto a outra continua a cortar o cabelo, esta chora e canta. Do lado de fora há vários braseiros, onde queimam incensos com mirra, estoraque e benjoim, que espalham um odor muito agradável. Como estas cerimônias duram de cinco a seis dias, acredito que eles embalsamem o corpo com alcânfor para preservar da putrefação. Enterram no mesmo caixão, que é coberto com tabuões presos com cravos de madeira. Têm também um lugar específico e fechado para cemitério.

Pássaro de mau agouro – Nos asseguraram que todas as noites, de madrugada, vinha um pássaro negro, do tamanho de um corvo, que pousava sobre as casas, provocando o latir dos cães até o amanhecer, quando ia embora. Nunca quiseram nos dizer a causa deste fenômeno, do qual todos fomos testemunhas.

Infibulação – Acrescentarei outra observação sobre seus costumes. Já disse que os nativos andam nus, salvo uma espécie de tecido de folha de palmeira para cobrir suas partes naturais. Todos os homens, velhos ou jovens, têm uma espécie de infibulação no prepúcio, pela qual passam um cilindro de ouro ou de estanho, da grossura de uma pena de ganso, com uma abertura no meio para deixar passar a urina, e com saliências nas duas extremidades semelhantes a cabeça de prego. Algumas vezes estas pontas tinham formato de estrelas.

Disseram-me que nunca tiram este adorno, nem durante a cópula. E que eram as mulheres que os queriam, tanto que já preparavam a infibulação de seus filhos desde a infância. Ignoro o que havia de certo, porém, apesar deste estranho aparato, as mulheres preferiam nós aos seus maridos.[57]

Produtos da ilha – Os víveres são abundantes nesta ilha. Além dos animais já citados, há cachorros e gatos que também se comem. Produzem arroz, milho, laranja, limão, cana-de-açúcar, noz de coco, alho, gengibre, mel, vinho de palmeira e outras coisas, além de muito ouro.

Hospitalidade – Quando descíamos a terra, tanto fosse de dia como à noite, encontrávamos sempre nativos que nos convidavam a comer ou beber. Eles cozinham medianamente suas carnes mas as salgam excessivamente, o que os obriga a beber muito e frequentemente, chupando o vinho dos cântaros através dos bambus ocos. Passam, em média, de cinco a seis horas à mesa.

As cidades e seus chefes – Nesta ilha existem muitas cidades, com personalidades respeitáveis que são os chefes tribais. Eis alguns exemplos: Cingapola, seus chefes são Cilatón, Ciguibucan, Cimaninga, Cimaticat e Cicambul; Mandani, que tem por chefe Aponoaan; Lalan, cujo chefe é Tetén; Lalutan, chefe Japall; Lubucin, chefe Cilumai. Todos nos obedeciam e nos pagavam um tributo.

Mactán – Perto da ilha de Cebu há uma outra chamada Mactán, com um porto de igual nome, onde ancoraram nossos navios. A cidade principal desta ilha também se chama Mactán e seus chefes eram Zela e Cilapulapu. Nesta ilha ficava a cidade de Bulaia, que nós queimamos.

26 DE ABRIL DE 1521 – **Zula contra Cilapulapu** – Na sexta-feira, 26 de abril, Zula, um dos chefes da ilha de Mactán, enviou ao capitão um de seus filhos, levando duas cabras e para dizer-lhe que se não enviava tudo o que havia prometido não era sua culpa, mas por causa de Cilapulapu,

o outro chefe, que não queria reconhecer a autoridade do rei da Espanha. Mas, se o capitão quisesse ajudá-lo somente com uma chalupa de homens armados, se comprometia a combater e subjugar, na noite seguinte, o seu rival.

Chegamos a Mactán – O capitão não só atendeu o pedido, como resolveu ir ele próprio com três chalupas. Rogamos-lhe que não fosse, porém respondeu que um bom pastor não pode abandonar seu rebanho.

Saímos à meia-noite, com sessenta homens armados. O rei cristão, seu genro e príncipe e muitos chefes de Cebu, com muitos homens armados, nos seguiram em balangués. Chegamos a Mactán três horas antes do alvorecer. O capitão não quis atacar logo. Preferiu mandar à terra o mouro para que dissesse a Cilapulapu e aos seus que, se quisessem reconhecer a soberania do rei da Espanha, obedecer ao rei cristão e pagar os tributos que pedia, seriam considerados amigos. Porém, se não aceitassem isto, iriam conhecer a força de nossas lanças. Os ilhéus não se amedrontaram com nossas ameaças e responderam que também possuíam lanças, mesmo que fossem de bambu ou de estacas trabalhadas no fogo. E suplicaram que tivéssemos apenas uma consideração, não os atacando logo, porque esperavam reforços e seriam muitos mais depois. Isto, no entanto, foi um pedido capcioso, para fazer com que atacássemos imediatamente e caíssemos nos fossos que cavaram entre a praia e suas casas.

27 DE ABRIL DE 1521 – **Combate** – Esperamos o dia, efetivamente, e saltamos a terra com água até as coxas, pois as chalupas não podiam se aproximar mais devido os arrecifes. Desceram 49 e 11 ficaram cuidando das chalupas.

Os ilhéus eram mil e quinhentos e estavam formados em três batalhões, que mal nos viram já se lançaram sobre nós com um ruído horrível. Dois batalhões nos atacaram pelos flancos e um terceiro pela frente. Nosso capitão dividiu sua tropa em dois pelotões. Os balestreiros e os mosqueteiros atiraram desde longe durante meia hora e causaram pouco dano ao inimigo. Mesmo que as nossas balas e flechas atravessassem as delgadas tábuas dos seus escudos, apenas os feriam levemente, não os matando como nós esperávamos que fosse acontecer. Isto os enfurecia ainda mais. E, confiando na sua superioridade numérica, nos lançavam nuvens de lanças, pedras e até mesmo terra, sendo muito difícil detê-los. Nosso capitão-geral foi atingido por uma lança com ponta de ferro e, para tentar intimidar os inimigos, mandou que colocássemos fogo em suas casas, o que fizemos imediatamente. Ao ver as chamas, enfureceram ainda mais e aumentaram a luta. Alguns correram a apagar o incêndio, enquanto que outros mataram a dois dos nossos na praça. Seu número e sua impetuosidade pareciam aumentar a cada momento. Uma flecha envenenada atravessou a perna do capitão-geral e este determinou a retirada organizada. No entanto, a maior parte dos nossos fugiu precipitadamente, restando com o capitão apenas sete ou oito.

Morte de Magalhães – Os nativos perceberam que seus golpes na cabeça ou no corpo não nos atingiam por causa das nossas armaduras, porém, que as pernas estavam indefesas. E para elas concentraram suas flechas, lanças e pedras, de maneira tão intensa que não pudemos resistir. Então, nos retiramos lentamente, mas combatendo sempre. Além disto, as bombardas que levávamos nas chalupas se tornaram inúteis por causa dos arrecifes. À medida que nos retirávamos pela água, os nativos iam apanhando as lanças que já haviam atirado contra nós e voltavam a arremessá-las, fazendo isto por outras cinco ou seis vezes. Como conheciam bem nosso capitão, ele se tornou seu alvo preferido. Por duas vezes o derrubaram, mas ele se manteve firme enquanto combatíamos ao seu redor. O combate desigual durou quase uma hora. Um ilhéu conseguiu, em dado momento, colocar a ponta de sua lança na frente do capitão, mas este, furioso, conseguiu ser mais rápido, cravando a sua lança no inimigo, onde ficou presa. Tentou então sacar a espada, mas não pôde por estar gravemente ferido no braço direito. Dando-se conta disto, um dos nativos avançou com um sabre, acertando a perna esquerda, fazendo-o cair de cara na água e arrojando-se por fim contra ele. Assim morreu nosso guia, nossa luz e nosso sustentáculo. Quando viram que haviam abatido nosso capitão, todos os nativos correram para o local onde ele havia caído, o que possibilitou a salvação dos nossos, que conseguiram chegar até as chalupas.

Nós poderíamos ter sido socorridos pelo rei cristão e este sem dúvida o teria feito, mas o capitão, longe de prever o sucedido, lhe dera ordens para que permanecesse nos balangués com sua gente, como meros espectadores vendo-nos combater. Quando o rei o viu sucumbir, chorou amargamente.

Elogios a Magalhães – A glória de Magalhães sobreviverá a sua morte. Dotado de todas as virtudes, mostrou inquebrantável persistência em meio às maiores adversidades. No mar, costumava passar maiores privações do que a tripulação. Versado mais do que ninguém nos mapas náuticos, sabia perfeitamente a arte da navegação, como o demonstrou dando a volta ao mundo, o que ninguém ousou tentar antes dele.[58]

A malfadada batalha se deu a 27 de abril de 1521, que era um sábado, dia escolhido pelo capitão em vista de ter por ele particular afeição. Oito dos nossos e quatro nativos batizados pereceram com ele. No entanto, poucos voltaram aos navios sem ferimentos. Os inimigos perderam quinze homens.

Recusam-se devolver o cadáver do capitão – À tarde, o rei cristão, com o nosso consentimento, mandou dizer aos habitantes de Mactán que, se devolvessem os cadáveres dos nossos soldados, particularmente o do capitão, lhes daríamos as mercadorias que pedissem. Eles responderam que por nada se desfariam do cadáver de um homem como o nosso chefe e que o guardariam como troféu de sua vitória sobre nós.

Comandantes da esquadra – Odoardo Barbosa,[59] português, e Juan Serrano, espanhol, foram escolhidos os novos comandantes da esquadra. Ao saber da perda do capitão, os que estavam na cidade para comercializar transportaram imediatamente as mercadorias para os navios.

Desgosto do intérprete – Enrique, nosso intérprete e escravo de Magalhães, resultou ligeiramente ferido no combate, o que serviu de pretexto para não ir mais a terra, onde necessitavam dos seus serviços. Passava o dia inteiro ocioso, deitado em sua esteira. Odoardo Barbosa, comandante do navio antes dirigido por Magalhães, repreendeu-o severamente, advertindo que apesar da morte do seu amo continuava sendo um escravo e que, à sua volta à Espanha, o entregaria a dona Beatriz, viúva de Magalhães. E ameaçou chicoteá-lo se não fosse a terra imediatamente atender os serviços da esquadra.

Conspiração contra os espanhóis – O escravo levantou tranquilamente, como se não tivesse ouvido as ofensas e ameaças do novo comandante e, uma vez em terra, foi à casa do rei cristão tramar uma conspiração. Disse-lhe que partiríamos dentro em pouco e que, se quisesse seguir o seu conselho, poderia apoderar-se dos navios com todas as mercadorias. O rei escutou-o favoravelmente e urdiram juntos a traição. O escravo voltou em seguida ao navio e mostrou mais atividade e inteligência do que nunca.

1º DE MAIO DE 1521 – **A traição** – Na manhã de quarta-feira, 1º de maio, o rei cristão mandou dizer aos comandantes que tinha preparado um presente de pedras preciosas para o rei da Espanha. E pedia que viessem comer com ele, acompanhados de alguns de sua comitiva, pois nesta ocasião ele pretendia fazer a entrega do presente. Foram, com efeito, 24 pessoas, entre elas nosso astrólogo, chamado San Martín de Sevilha. Eu não fui porque estava com o rosto inchado, devido ao ferimento provocado por uma flecha envenenada.

Suspeitas – Juan Carvajo e seu ajudante voltaram imediatamente aos navios desconfiando da má-fé dos nativos ao ver, segundo disseram, que o enfermo que fora milagrosamente curado conduzia o capelão à sua casa.

Assassinato – Mal tinha terminado suas palavras quando ouvimos gritos e ais. Levantamos âncora em seguida e nos aproximamos da costa, disparando muitos tiros contra as casas.

Juan Serrano abandonado – Vimos então Juan Serrano sendo conduzido, ferido e preso, até a praia. Rogou que não disparássemos mais porque iam matá-lo. Perguntamos o que havia sucedido aos seus companheiros e ao intérprete e ele respondeu que haviam degolado a todos, exceto o escravo que havia passado para o lado deles. Pediu que o trocássemos por mercadorias, porém, Juan Carvajo, seu compadre, e outros mais, recusaram sequer a tentativa de resgate, não permitindo que as chalupas se aproximassem da ilha, entendendo que o comando da esquadra agora lhes pertencia.

Juan Serrano continuou implorando a compaixão de seu compadre, dizendo que enquanto levantássemos a vela eles o assassinariam. Vendo por fim que suas lamentações eram inúteis, lançou terríveis maldições rogando a Deus que tomasse a alma de Juan Carvajo, seu compadre, no dia do juízo final.

Partida de Cebu – Porém não fizeram caso e partimos, sem que nunca tivéssemos notícia de sua vida ou de sua morte.

A ilha de Cebu é grande, tem um bom porto com duas entradas, uma a Oeste e outra a Nordeste. Está a 10° de latitude Norte e a 154° de longitude da Linha de Demarcação. Nesta ilha tivemos notícia acerca das Ilhas Molucas, antes da morte de Magalhães.

Notas:

1. Não é raro que a fome force os marinheiros a comer ratos e couro dos mastros. Em 1540, um rato valia quatro escudos na esquadra de Pizarro. As tripulações de Boungainville (tomo II) e de Cook (*Terceira Viagem*, tomo I) também comeram couro.

2. Efeitos do escorbuto.

3. Quirós, Boungainville e Cook não foram certamente tão aventurosos.

4. Pigafetta não nos dá os dados suficientemente precisos para determinar a posição da Ilhas Infortunadas. Há em nosso manuscrito uma figura pela qual se vê somente que a segunda está a Noroeste da primeira. Porém, lendo sua relação e supondo-a exata, perceberemos que pertencem às Ilhas da Sociedade, ao Norte e ao Nordeste do Taiti, pois Pigafetta diz que saindo do estreito navegaram para o Noroeste quarto Oeste. Em seguida, em direção do Noroeste, até a linha equinocial, que passaram pelos 122° da Linha de Demarcação, isto é, pelos 152° do primeiro meridiano. Assim, se a partir deste ponto traçarmos uma linha do Noroeste para o Sudeste, passará entre as ilhas da Sociedade ao Norte e depois a Leste do Taiti. As Ilhas Infortunadas deveriam, pois, se encontrar sobre esta linha. Por conseguinte, Jaillot e Nolin as colocaram fora de sua verdadeira posição geográfica. No entanto, não estão mal os nomes que lhes deram de São Pedro a uma e de Tubarão a outra, porque o Anônimo português lhes dá os mesmos. Transilvano disse que nossos navegantes se detiveram ali dois dias para pescar.

5. Cinquenta e seis anos transcorreram antes que outro navegante desse a volta ao mundo. Drake, em 1578, foi o primeiro depois de Magalhães que atravessou este mar.

6. Duas nuvenzinhas, isto é, duas aglomerações de estrelas assinaladas pelo astrônomos no polo austral. Uma em cima e outra embaixo da constelação de Hidra. Vê-se perto do polo muitas estrelas

que formam a constelação de Octante, porém, como estas estrelas são de quinta e de sexta magnitude, tudo indica que as duas estrelas grandes e brilhantes de que fala Pigafetta são a Alfa e a Beta desta mesma Hidra.

7. *Pontuar*, isto é, utilizar a ponta de um compasso para encontrar o vento que deverá soprar para se chegar a um determinado lugar, sendo conhecido o Norte pela bússola. *Ajudar a agulha* é acrescentar ou tirar graus de sua determinação para encontrar a verdadeira linha meridiana, por meio de procedimentos de que falaremos no tratado de navegação ao fim desta viagem.

8. Dante (*Purgat,* Lib. I) fala desta cruz nos seguintes versos:
*I' mi volsi a man destra, e posi mente
all'altro polo, e vidi quattro stelle
non viste mai fuorchè alla prima gente.
Gover pareva il ciel di lor fiammelle
Oh! settentrional vedovo sito,
poichè privato sei di mirar quelle!*

9. Linha ideal que, repartindo o globo em dois hemisférios, separava as conquistas dos portugueses das feitas pelos espanhóis, segundo a bula do papa Alexandre VI. (Veja-se a *Introdução*, parágrafo V).

10. Isto é, o primeiro meridiano.

11. Cipangu é o Japão, que tem este mesmo nome no globo de Behaim, onde se diz que é *a ilha mais rica do oriente*. Sumbdit-Pradit é talvez a Antilha do mesmo globo, chamada também Septe-Ritade. Porém, neste referido globo estas duas ilhas estão no hemisfério boreal, uma aos 20° e a outra aos 24°. Ramusio (tomo I, tab. III) situa Cipangu nos 25°, porém no mapa XIX de Urbano Monti encontro Sumbdit nos 9° de latitude meridional. Delisle, ignoro com que fundamento, as coloca nos 17° e 20° de latitude meridional. Contudo, deve-se levar em conta que Pigafetta não disse que esteve nelas, mas que passou a pouca distância, isto é, que acreditou ter-se aproximado. Assim como Marco Polo fizera acreditar que Cipangu era a ilha mais oriental do mar das Índias. Por conseguinte, nosso navegador, indo para o Ocidente, devia encontrar a primeira, porém, não a tendo encontrado, imaginou ter passado a pouca distância dela. De volta à Espanha, (livro IV), fala de Sumbdit-Pradit como sendo uma ilha situada próximo à costa da China.

12. Com estes dados marquei no mapa o caminho que percorreu a esquadra desde o estreito até as Ilhas dos Ladrões (Guam). Tracei uma linha do Cabo Victoria em direção ao Equador, por Oeste-Noroeste

quarto Noroeste. Em seguida, partindo dos 122° de longitude da Linha de Demarcação sob o Equador, de Noroeste a Sudeste, tracei uma linha que encontra a primeira e forma com ela um ângulo obtuso no lugar em que a esquadra mudou de direção. Além do Equador, no hemisfério Setentrional, tracei uma linha por Oeste-Noroeste quarto Oeste de uma distância de 800 milhas até os 13° de latitude Norte e desde ali até a Ilha dos Ladrões. Reconheço que, não sendo completamente exatos os graus de longitude, os demais também são pouco certos. Porém, esta linha ao menos não oferece nenhuma dificuldade e parece ter algum fundamento. O caminho de Magalhães traçado por outros geógrafos é totalmente imaginário.

13. O Cabo Cattigara, que nosso autor chama Gatticara, estava, segundo Ptolomeu, a 180° de longitude das ilhas Canárias e ao Sul do Equador. Porém Magalhães sabia que estava ao Norte e, efetivamente, o está aos 8° 27' de latitude setentrional. Por conseguinte, para chegar a este cabo, havia imaginado que deveria encontrar as Ilhas Molucas. Hoje, se chama Cabo Comorin. Vespucio se equivocou ainda mais na latitude porque acreditava que fosse um cabo Ocidental do continente ao qual deu seu nome (BARTOLOZZI, loc. sit.).

14. A ilha em que ancorou Magalhães é provavelmente a de Guam, que Maximiliano Transilvano chama *Ivagana*. Se poderia acreditar que fosse a Ilha Rota, onde Jorge Manriques, comandante de um navio da frota de Loaisa (que em 1526 foi do Peru às ilhas Marianas), encontrou a Gonçalvo de Vigo, um dos marinheiros de Magalhães, que se estabeleceu ali voluntariamente. Porém, este Vigo pode ter passado da Ilha Guam para a Ilha Rota. (DE BROSSES, tomo I, p. 156).

15. O autor de *Histoire génerále des voyages* disse que os ilhéus viram então o fogo pela primeira vez, e cita a Pigafetta, o qual não diz nada. Parece mais indicado que não conheciam o uso das flechas.

16. O uso de pretear os dentes ainda é praticado nas Ilhas Pelew, próximo das Marianas. Seus habitantes usam determinadas ervas para fazer uma pasta que aplicam durante alguns dias sobre os dentes, apesar das moléstias que causam (KEATE, *An account of the Pelew islands*, p. 314).

17. Espécie de semente oleoginosa muito comum na China. É o *Raphanus oleifer sinensis*, de Linneo.

18. Estes figos são as bananas ou frutos da Musa (*Musa paradisiaca*). A seguir empregarei o nome de banana, em lugar de figo, que usa o autor.

19. São as folhas da bananeira.

20. Em seguida se chamaram Ilhas das Velas Latinas, pelo grande número de embarcações que por ali passavam. Ao tempo do rei Felipe IV da Espanha, passaram a chamar-se Marianas, em honra de sua esposa Maria da Áustria. Noortj observa que ainda em seu tempo (1599) mereciam apropriadamente o nome de Ilha dos Ladrões. Hoje é Guam, possessão americana.

21. Gôndolas compridas e estreitas, como as que vão de Fusina a Veneza.

22. É o balancim, muito bem pensado por outros povos para não soçobrar os seus barcos, muito estreitos e com velas de esteiras muito pesadas. Anson e Cook elogiam grandemente a construção destas embarcações com balancim ou batanga.

23. Talvez por isto se denomina Ilha dos Nadadores a uma ilha situada próximo das Marianas.

24. Nos mapas mais modernos se denomina Samar e está situada, efetivamente, aos 15°, que corresponde a um pouco menos de trezentas léguas marinhas a Oeste de Guam. Prevot, baseando-se no extrato de Fabre, disse que Samar não está mais que a trinta léguas das Marianas (tomo X, p. 198).

25. Humunu, que se chamou em seguida a Ilha Encantada (*Histoire général des voyages*, tomo XV, p. 198), está situada próxima do Cabo Guigan, da Ilha Samar.

26. Haviam, sem dúvida, colhido este porco na Ilha dos Ladrões, onde todos os navegantes posteriores encontraram muitos destes animais. (DE BROSSES, tomo I, p. 55).

27. O bocaxim é um tipo de tecido muito usado antigamente. (veja-se DU CANGE).

28. *Phoenix dactylifera*, de Linneo.

29. Passaram depois a chamar-se Filipinas, em homenagem a Felipe da Áustria, filho de Carlos V.

30. As Filipinas estão situadas entre os 125° e 126° de longitude ocidental da Ilha de Hierro. Por conseguinte, entre os 195° e os 205° da Linha de Demarcação. Este arquipélago não está, pois, nos 161° de longitude desta linha. Ignoro se, ao determinar a longitude, Magalhães e seu cartógrafo San Martin trabalharam de boa-fé, ou se fizeram tal afirmação para encontrar as Molucas antes dos 180°. Contudo, é certo que antes de Dampièrre se equivocaram em 25° de longitude (DE BROSSES, tomo II, p. 72).

31. Todos os autores falam das grandes orelhas dos novos povos descobertos. O autor conta sobre isto coisas fabulosas.

32. Depois da conquista das Índias pelos mongóis, estes países foram habitados por dois povos diferentes, ou seja, os mouros e os

indígenas, aos quais nosso autor chama tanto de bárbaros como de pagãos. Os mouros receberam este nome porque são maometanos, como os mouros da Espanha. Os dois tipos são encontrados ainda hoje em muitas destas ilhas, quase todas sob o domínio europeu. Mas os pagãos diminuem dia a dia de população e de poder, e praticamente só habitam mais as montanhas. (SONNERAT, *Voyages aux Indes,* tomo I, p. 35). Com os mouros sucedeu o mesmo no centro da África. (*Voyage de Mungo-Park dans l'interieur de l'Áfrique.*)

33. A *Taprobana* dos antigos é a ilha do Ceilão, atual Sri Lanka.

34. Desde as Filipinas até Malaca, se fala por toda a parte a língua malaia. Não é estranho, pois, que um homem de Malaca seja entendido nas Filipinas.

35. Veremos em continuação que os referidos reis possuíam dois países na costa oriental da ilha de Mindanao. Um deles se chamava Butuam e ainda conserva o mesmo nome, o outro, Calagan, é agora Caragua. O rei de Butuam era também rei Massana ou Mazzana, que é, provavelmente, a Limassava de Bellin.

36. Sonnerat (tomo II, p. 171) fala também de Mindanao como uma ilha em que abunda o ouro. Por esta razão se acreditou que as Filipinas eram as Ilhas Salomão.

37. Fabre e Ramusio dizem que em cada dedo tinham três anéis de ouro, porém, em nosso manuscrito se lê claramente: *in ogni dente havera tre machie d'oro che parevano fosseno pegati com oro.* Isto torna-se menos estranho ao saber-se que em Macasar, ilha pouco distante das Filipinas, as pessoas arrancavam os dentes naturais para substituí-los por outros de ouro. (*Hist. gên. des voyages,* tomo XV, p. 97).

38. Isto é, Mindanao.

39. Ceylon é a ilha de leite, que Pigafetta dividiu em dois, chamando a parte setentrional de Baybay, que é o nome de um porto. Calagan é Caragua, na ilha de Mindanao, e Zubu é a ilha de Cebu, de que falará muito o autor.

40. Ainda continua o costume de mascar areca (*Areca cathecu,* de Linneo) envolta em folhas de bétel.

41. Isto é, bétel.

42. Limassava está certamente na latitude indicada pelo autor, mas há um grande erro na longitude.

43. Bohol conservou o seu nome. Canigan e Gatigan se encontram nos mapas antigos e particularmente no mapa XVIII de Urbano. Bellin cita estas ilhas sem dar-lhes nomes.

44. Polo e Pozon, ilhas que são vistas também nos mapas de Monti e Ramusio, porém distantes uma da outra.

45. Candish e Noortj (*Hist. gên. de voyages,* tomo XV, p. 222) falam do medo que os habitantes das Filipinas tinham da aparição do diabo.

46. Provavelmente o hábito da Ordem de Santiago, de que era comendador.

47. Cambaya, uma das cidades mais comerciais da Índia, particularmente em tecidos.

48. Noortj também observa entre estes povos o costume de beber através de canudos de bambu.

49. Os tambores e os címbalos são ainda hoje os principais instrumentos musicais dos habitantes das ilhas do Sul.

50. O *Sinus Magnus de Ptolomeu*, que é o Golfo da China.

51. Cook (*Viagem ao Polo Sul e ao redor do mundo*) explicou a maneira de dilatar os buracos feitos no lóbulo das orelhas, por meio de cilindros elásticos de folhas de cana.

52. Este é um dos contos que Pigafetta ouviu e que conta de boa-fé. Contudo, se tem observado que muitas aves vivem de carne das baleias mortas e lançadas pelas ondas sobre a praia. Um corvo que tenha entrado na garganta aberta de uma baleia talvez tenha dado origem a este conto.

53. A casualidade, ou o cuidado de algum indígena que a olhava como um ídolo, a conservou até 1598, ocasião em que foi encontrada pelos espanhóis e missionários que para lá voltaram. Colocaram-na em exposição e veneração e construíram uma cidade, a qual deram o nome de Cidade de Jesus. (*Hist. gén. des voyages,* tomo XV, p. 35.)

54. Parece que o prefixo *si* ou *ci* em nomes próprios é um título de honra.

55. Visnu, em uma de suas encarnações, é representado com a cara de um javali. (SONNERAT, tomo I, p. 161.)

56. Entre os instrumentos musicais dos índios, Sonnerat encontrou e desenhou um trompete grande, igual ao que é mencionado pelo autor.

57. Abreviei muita coisa por decência, contudo, dou aqui o original do manuscrito: *Grandi et picoli hanno passato il suo membro circa de la testa de luna parte a laltra con un fero de oro hovero de stanio grosso como una penna de ocha e in uno capo e laltro fel medesimo fero alguni anno como una stella con ponte soura li capi altri como una testa de chiodo da caro assaissiime volte lo volfi*

vedere da molti vequi como joveni perchè non lo poteva credere nel mezo del fero e un buto per il qualle urinano il fero e le stelle sempre stanno ferme. Loro dicono che le sue moglie voleno cussi et se fossero de altra sorte non uzariano con elli. Quando questi vogliono uzare loro medesime lo pigliano non in ordine... Questi popoli uzanno questo perchè sono di debile natura... A tuete da sey anni insu apoco apoco li approno la natura per cagione, etc. Não deve surpreender a lubricidade das mulheres deste país, que foram as que inventaram isso. Principalmente depois de se ler os relatos dos viajantes a respeito deste costumes. (Veja-se a carta de Américo Vespúcio, em RAMUSIO, tomo I, p. 141; e PAW, *Recherches sus les Américains*, parte I.) Noortj e Candisch, que viajaram pelo mesmo mar em 1600, encontraram o mesmo costume, porém, dizem que os homens podiam tirar o cilindro. E mais, que esta infibulação foi imaginada pelas mulheres para evitar a pederastia. (*Hist. gén. des voyages*, tomo X, p. 257). A moda deve ter passado, porque os navegantes modernos não falam disto.

58. Magalhães não deu mais que a metade da volta ao mundo, porém Pigafetta diz com razão que a deu quase inteira, porque os portugueses conheciam muito bem o que faltava da rota das Ilhas Molucas à Espanha pelo Cabo da Boa Esperança.

59. Odoardo Barbosa havia chegado às Molucas pelo Cabo. Deixou uma *Relación de las Índias* muito interessante (RAMUSIO, tomo I, p. 288). Um de seus companheiros escreveu também uma *Relación abreviada* da mesma viagem.

Livro Terceiro

Descoberta da Ilha dos Ladrões em 6 de março de 1521 representada por Teodore de Bry em 1616.

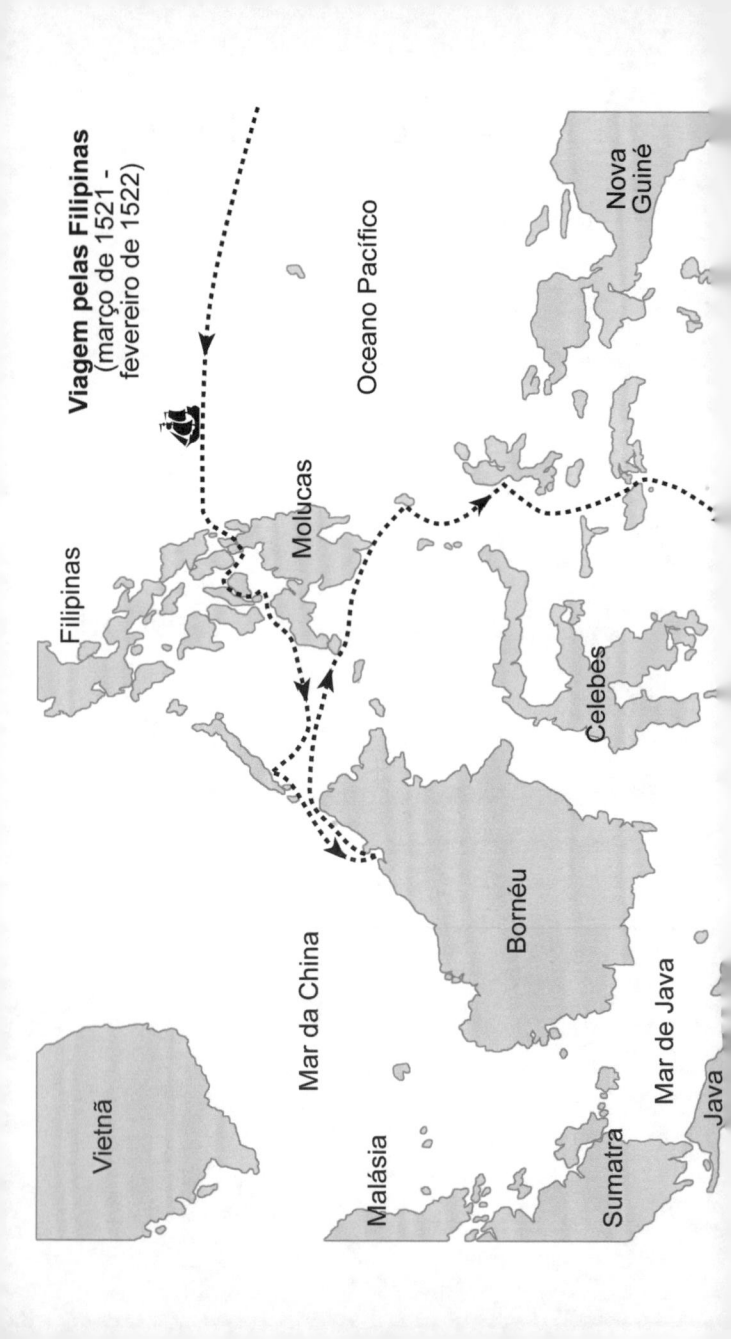

Viagem pelas Filipinas
(março de 1521 - fevereiro de 1522)

Filipinas
Molucas
Oceano Pacífico
Nova Guiné
Celebes
Mar da China
Vietnã
Malásia
Bornéu
Sumatra
Mar de Java
Java

Desde a Partida de Cebu até a Saída das Ilhas Molucas

Ilha de Bohol – Deixamos a Ilha de Cebu e ancoramos na ponta de uma ilha chamada Bohol, distante dezoito léguas. *Queimamos um navio* – Vendo que as tripulações, diminuídas por tantas perdas, não eram suficientes para os três navios, decidimos queimar um deles (*Concepción*), depois de transportar para os outros tudo o que poderia nos ser útil. *Panilongón* – Rumamos para Sudoeste, costeando uma ilha chamada Panilongón, cujos indígenas são negros como os etíopes. Seguimos a rota e chegamos a uma ilha que se chama Butuán,[1] onde ancoramos.

Aliança com o rei – O rei da ilha subiu ao nosso navio e, para dar-nos uma prova de sua amizade e de sua aliança conosco, tirou o sangue da mão esquerda e untou o peito e a ponta da língua. Nós fizemos o mesmo. *Pigafetta segue sozinho com ele* – Quando foi embora, segui com ele para ver a ilha. Entramos em um rio,[2] onde encontramos muitos pescadores que ofereciam peixes ao rei, o qual, como todos os indígenas destas ilhas, anda nu, usando apenas um pedaço de tecido para cobrir suas partes naturais. Em dado momento, o rei resolveu sacar fora este pedaço de tecido, no que foi seguido pelos que o acompanhavam.

Estes, então, empunharam os remos e passaram a remar cantando. Passamos perto de muitas casas situadas às margens do rio e às duas da madrugada chegamos à casa do rei, que estava a duas léguas de distância do lugar onde havíamos ancorado.

Ceia – Quando chegamos, um grupo veio ao nosso encontro carregando tochas, feitas de bambu e folhas de palmeira e impregnadas com a resina chamada *anime*. Enquanto preparavam a ceia, o rei, com duas de suas mulheres, bastante bonitas, e dois de seus chefes, esvaziaram um grande jarro de vinho de palmeira, sem comer nada. Convidaram-me a beber mas me excusei, dizendo que já havia jantado e que não bebia mais que uma vez. Ao beber faziam as mesmas cerimônias que o rei de Massana.

Serviram a ceia, composta unicamente de arroz e de peixe muito salgado. Os pratos eram de porcelana. *Preparo do arroz* – Eles cozinham o arroz da seguinte maneira: tomam uma panela de barro e colocam dentro uma folha grande que cobre inteiramente o seu fundo; depois colocam arroz e água e tapam, deixando cozinhar até que o arroz fique com a consistência de nosso pão. Depois o tiram em pedaços. É deste mesmo modo que cozinham o arroz em todas as ilhas destas paragens.

Camas – Terminada a refeição, o rei mandou que trouxessem uma esteira de palha, com outra de palmeira e uma almofada de folhas. Eram a minha cama, na qual me recostei com um dos chefes. O rei deitou em outra parte com suas duas mulheres.

Excursão pela ilha – No dia seguinte, enquanto preparavam a comida, fiz uma excursão pela ilha. Entrei em muitas casas, construídas como as que havíamos visto antes, e notei que tinham muitos utensílios de ouro e poucos víveres. Voltei à casa do rei e comemos arroz e pescado.

Visita à casa da rainha – Através de gestos, procurei fazer o rei compreender que eu gostaria de conhecer a rainha. Fez-me sinal de que lhe agradava e nos encaminhamos para o alto de uma montanha, onde estava a morada da rainha. Ao entrar, fiz-lhe uma reverência e ela retribuiu. A soberana estava tecendo esteiras de palmas para uma cama e me sentei ao seu lado. A casa era adornada com vasos de porcelana pendentes nas paredes e por quatro tímbales. Um muito grande, um médio e dois pequenos. A rainha se entretinha tocando-os. Tinha para servi-la escravos de ambos os sexos. Pedimos permissão para nos retirar e voltamos à casa do rei, que me fez servir um refresco de cana-de-açúcar.

Minas de ouro – Encontrei na ilha arroz, gengibre, porcos, cabras e tudo mais que havia nas outras. Porém, o que sem dúvida havia em maior quantidade era o ouro. Mostraram-me uns pequenos vales, fazendo-me entender que neles haviam mais ouro do que cabelos em nossas cabeças, mas que, não tendo ferro, era necessário um grande trabalho para explorá-lo.

Castigo aos malfeitores – À tarde, pedi que me levassem a nossos navios. O rei fez questão de me acompanhar, com alguns auxiliares, no mesmo balangué. Durante a descida pelo rio, vi à direita três homens suspensos em uma árvore e eles me disseram que eram malfeitores.

Esta parte da ilha, chamada Chipit, é um prolongamento da mesma terra que Butuán e Calagán. O porto é muito bom, estando situado aos 8° de latitude Norte e a 167° de longitude da Linha de Demarcação e a cinquenta léguas de Cebu.[3] A Noroeste surge a Ilha de Lozón,[4] a duas jornadas; é grande e a ela chegam todos os anos seis ou sete juncos dos povos chamados *lequíes*,[5] para comerciar. Mais adiante falarei de Chipit.

JUNHO DE 1521 – **Cagayán** – Partimos desta ilha e, navegando entre Oeste e Sudoeste, ancoramos junto a uma ilha quase deserta. Os poucos habitantes são mouros desterrados de uma ilha chamada Burné (Bornéu). Andam nus como os habitantes das outras ilhas e as suas armas são zarabatana, carcás cheios de flechas e uma erva para envenená-las. Têm também punhais com cabo de ouro e pedras preciosas, lanças e couraças de pele de búfalo. Acreditaram que éramos deuses ou santos. Há na ilha grandes árvores, mas poucos víveres. Está a 7º 30' de latitude setentrional e a 43 léguas de Chipit. Chama-se Cagayán.[6]

Penúria da tripulação – Saindo desta ilha e seguindo sempre o mesmo rumo Oeste-Sudoeste, chegamos a outra maior, que encontramos bem provida de toda a classe de víveres, o que foi uma fortuna para nós, porque estávamos tão famintos e tão mal provisionados que estivemos muitas vezes a ponto de abandonar os navios e nos estabelecer em qualquer terra para terminar ali os nossos dias.

Esta ilha, chamada Palaoán,[7] nos proporcionou porcos, cabras, galinhas, bananas dos mais diversos tipos, algumas de um palmo de comprimento, outras da grossura de um braço e outras ainda menores, que eram as mais gostosas. Há também noz de coco, cana-de-açúcar e raízes parecidas com nabos. Cozinham o arroz em bambu ou madeira oca, o que faz o produto conservar-se melhor do que o cozido em panela de barro. Através de uma espécie de alambique, eles conseguem extrair do arroz um vinho mais forte e melhor do que o de palmeira. Em uma palavra, esta ilha foi para nós uma espécie de terra da promissão. Está aos 9º 20' de latitude setentrional e a 171º 20' de longitude da Linha de Demarcação.

Aliança com o rei – Nos apresentamos ao rei, que estabeleceu acordo conosco, celebrado de maneira quase idêntica ao anterior, só que o corte desta vez foi no peito e não na mão. Com o sangue o rei molhou o rosto e a ponta da língua e nós repetimos a cerimônia.

Costumes – Os indígenas de Palaoán andam desnudos como os demais povos da região, porém gostam de adornar-se com anéis, argolas e outros adereços. O que mais lhes agrada, no entanto, é o arame, ao qual atam seus anzóis. Quase todos cultivam seus próprios campos.

Armas – Usam também a zarabatana e grossas flechas de madeira, de um palmo de comprimento, com a ponta em formato de arpão. Em outras, a ponta é uma espinha de peixe, enquanto que as de bambu têm a ponta envenenada com certa erva. O contrapeso não é de penas, mas de uma madeira muito leve. Na ponta das zarabatanas colocam um ferro pontiagudo, para que as mesmas possam ser usadas como lanças quando acabam as flechas.

Rinha de galos – Criam uns galos grandes que não comem por superstição, mas os treinam para disputas, onde são feitas apostas, cabendo prêmios aos proprietários dos vencedores.

De Palaoán seguimos nossa rota Sudoeste e, dez léguas depois, vimos outra ilha. Tivemos que percorrer, no entanto, cinquenta léguas pelas suas costas até encontrar ancoradouro. Mal ancoramos e despencou uma tempestade que escureceu o céu e ressaltou o fogo de San Telmo sobre nossos mastros.

9 DE JULHO DE 1521 – **Embaixada do rei** – No dia seguinte, o rei enviou uma linda piroga, com a proa e a popa douradas. Na proa flutuava uma bandeira branca e azul, com um penacho de plumas de pavão real no topo do mastro. Na embarcação vinham músicos que tocavam gaita de fole e tambores, além de outras pessoas. *Presentes* – A piroga, que é uma espécie de galera, rebocava duas almadias, que são barcos de pescadores. Oito velhos da ilha subiram a bordo e sentaram num tapete que lhes havíamos preparado na popa. Nos ofereceram um vaso de madeira, coberto de

seda amarela e cheio de bétel e de areca, raízes que mascam continuamente, com flores de laranjeira e de jasmim, além de duas gaiolas cheias de galinhas, duas cabras, três vasos de vinho de arroz destilado e canas-de-açúcar. Fizeram a mesma oferenda no outro navio e, depois de abraçar-nos, pediram licença e se foram. O vinho de arroz é tão claro como a água, porém tão forte que muitos de nossa tripulação se emborracharam. Este vinho é chamado *arach*.

15 DE JULHO DE 1521 – **Outros presentes do rei** – Seis dias depois, o rei nos enviou outras três pirogas muito adornadas que, ao som de gaitas de fole, tambores e tímbales, deram uma volta ao redor de nossos navios, saudando-nos e agitando seus pequenos gorros. Retribuímos a saudação com uma salva de tiros, sem carga de pedras. Nos trouxeram muitos pratos, todos com arroz, nos mais diversos tipos e formatos. Tinha arroz coberto por folhas, arroz em forma de cone, arroz com ovos, arroz com mel.

Depois de nos entregarem os presentes em nome do rei, disseram que lhes agradaria se fizéssemos na ilha a provisão de lenha e água e que poderíamos comercializar o quanto quiséssemos com os ilhéus. *Presentes para a corte* – Decidimos ir em sete homens entregar os presentes para o rei, a rainha e os ministros. Os presentes do rei consistiam em uma túnica estilo turco de veludo verde, uma cadeira de veludo violeta, cinco braças de pano vermelho, um gorro, uma taça de vidro dourado e três cadernos de papel. Para a rainha foi dado três braças de pano amarelo, um par de sapatos prateados, uma caixa de prata cheia de alfinetes. Para o governador ou ministro do rei, três braças de pano vermelho, um gorro e uma taça de vidro dourado. Para o arauto do rei, que esteve junto na piroga, uma túnica estilo turco em pano verde e vermelho, um gorro e um caderno de papel. Às outras sete pessoas que as acompanhavam demos também presentes, tais como tecidos, gorros e cadernos.

Cerimônia – Ao chegar à cidade, tivemos que esperar duas horas na piroga até que chegassem dois elefantes cobertos com mantos de seda e doze homens com vasos de porcelana, cobertos de seda, para colocar os presentes. Montamos nos elefantes e, precedidos pelos doze homens portadores dos vasos com presentes, chegamos à casa do governador. Ali nos foi oferecida uma ceia de muitos pratos. *Camas* – Passamos a noite em colchões de seda recheados de algodão, com lençóis em tecido de Cambraya.

16 DE JULHO DE 1521 – **O palácio real** – A manhã do dia seguinte transcorreu sem que fizéssemos nada na casa do governador. Ao meio-dia seguimos para o palácio real, montados nos mesmos elefantes e precedidos dos homens com os presentes. Desde a casa do governador até o palácio real, as ruas estavam guarnecidas por homens armados com lanças, espadas e escudos, por ordem expressa do rei.

Entramos no pátio do palácio, descemos dos elefantes e subimos por uma escada, acompanhados pelo governador e alguns oficiais. Em seguida entramos em um grande salão, cheio de cortesãos, aos quais chamaremos de barões do reino. Ali nos sentamos em um tapete com os presentes ao lado.

No extremo deste salão havia uma outra sala, um pouco menor, atapetada com tecido de seda, de onde ressaltavam duas cortinas de brocado, que nos deixavam ver duas janelas que davam luz à sala. Havia ali trezentos homens da guarda real, armados com punhais, cuja ponta prendiam na coxa. *O rei de Bornéu* – Ao fundo desta sala havia uma grande porta oculta com outra cortina de brocado, que foi levantada, e então vimos o rei sentado ante uma mesa, com um menino e mascando bétel. Atrás dele só havia mulheres.

Modo de falar – Um dos cortesãos nos advertiu que não era permitido falar com o rei. No entanto, se quiséssemos dizer alguma coisa ao soberano poderíamos fazê-lo para este cortesão, o qual diria a um cortesão de categoria superior, que por sua vez diria ao irmão do governador, que estava na sala pequena. Este, então, por meio de uma corneta colocada em um orifício da parede, exporia nossas petições a um dos oficiais principais do rei. E isto foi feito.

Reverência e mensagem – Nosso interlocutor nos advertiu que devíamos fazer três reverências ao rei, elevando as mãos juntas por sobre a cabeça e levantando alternativamente os pés. Depois das três reverências que nos haviam indicado, endereçamos nossa mensagem ao rei, fazendo-o saber que pertencíamos ao rei da Espanha, que desejava viver em paz com ele e não pedia nada mais além de comercializar com sua ilha.

Resposta do rei – O rei mandou que nos respondessem que estava contente em saber que o rei da Espanha era seu amigo e que podíamos nos abastecer de lenha e de água e comercializar em sua ilha.

Oferecemos depois os presentes que levávamos. A cada coisa que recebia fazia um leve movimento com a cabeça. Deram a cada um de nós tecidos de brocado, de ouro e de seda, colocando-os sobre nosso ombro esquerdo e em seguida retirando-os a fim de guardá-los para nós. Serviram-nos a seguir um chá de cravo e canela, depois do que deixaram cair as cortinas e fecharam as janelas.

Luxo dos cortesãos – Todos os que estavam no palácio usavam, preso à cintura, um tecido com bordados de ouro para cobrir suas partes naturais. Carregavam também punhais com cabo de ouro, com pérolas e com outras pedras preciosas, além de muitos anéis nos dedos.

Montamos novamente nos elefantes e retornamos à casa do governador. Sete homens, com os presentes que nos deu o rei, nos precederam. E quando chegamos fizeram a entrega da mesma maneira como fora feito na casa real: colocando sobre nossos ombros. Demos de gorjeta duas facas a cada um dos sete homens que nos acompanharam. Imediatamente, chegaram à casa do governador nove homens com enormes bandejas de madeira, cada um dos quais trazia de dez a doze pratos de porcelana, com carne de diferentes animais: de vaca, de capão, de galinha, de pavão e de outros, além de muitas espécies de pescado. Só de carne havia mais de trinta pratos.

Ceia – Ceamos sentados no solo sobre a esteira de palma. Além das carnes, comemos também arroz e outros pratos preparados com açúcar. Usávamos para comer colheres de ouro, parecidas com as nossas. E bebíamos, em uma taça de porcelana do tamanho de um ovo, um licor destilado de arroz.

Nos acomodamos depois no mesmo lugar da noite anterior e, enquanto dormíamos, permaneciam acesas duas velas de cera branca e dois candelabros de prata, além de duas grandes lâmpadas de azeite. Dois homens montaram guarda durante toda a noite.

17 DE JULHO DE 1521 – **A cidade de Bornéu** – No dia seguinte, voltamos até a praia, onde estavam à nossa espera duas pirogas para nos conduzir a nossos navios.

A cidade está construída junto ao mar, exceto a casa do rei e as de alguns chefes. É composta de 25 mil lares ou famílias.[8] As casas são de madeira, sustentadas por grossas vigas para isolá-las da água. Quando a maré sobe, as mulheres que vendem mercadorias aproveitam para atravessar a cidade de barca. Protegendo o palácio real há uma grande muralha de pedras, com barbacãs à maneira de fortaleza, sobre a qual se vê cinquenta e seis canhões de bronze e seis de ferro. Dispararam muitas vezes durante os dias em que passamos na cidade.

O rei, que é mouro, tem cerca de quarenta anos, é muito gordo e se chama rajá Siripada. Ele é servido exclusivamente por mulheres, filhas dos principais habitantes da ilha. Ninguém pode falar-lhe diretamente a não ser os que lhe são próximos. Os demais têm de usar o mesmo sistema da corneta de que nos valemos. Tem dez escribas que se dedicam a escrever unicamente o que lhe interessa. Para escrever, usam finas cascas de árvores que chamam *chiritoles*. O soberano não sai nunca do palácio, a não ser para caçar.

19 DE JULHO DE 1521 – **Alarma** – Na manhã de 29 de julho, uma segunda-feira, vimos vir em nossa direção mais de cem pirogas, divididas em três esquadras, e outros tantos *tungulis*, que são seus barcos pequenos. Como temíamos que nos atacassem à traição, imediatamente levantamos as velas, com tanta pressa que nos vimos forçados a abandonar uma âncora. Nossas suspeitas aumentaram quando vimos muitas embarcações grandes, chamadas juncos, que no dia anterior estiveram rondando nosso navio, ocasião em que já desconfiamos que pudessem nos assaltar. Nossa primeira preocupação foi livrar-nos dos juncos, contra os quais fizemos fogo, matando muita gente. Quatro juncos conseguiram chegar até a nossa proa. *Filho do rei de Lozón, prisioneiro* – Em um dos juncos que capturamos estava o filho do rei da Ilha de Lozón, que era capitão-geral do rei de Bornéu e que recém havia conquistado, com seus juncos, uma grande cidade chamada Laoe,[9] construída em uma ponta da ilha, na direção da Grande Java. Esta expedição, que saqueou a cidade, foi realizada porque os seus habitantes preferiam obedecer ao rei ateu de Java em lugar do rei mouro de Bornéu.

Posto em liberdade – Juan Carvajo, nosso piloto, sem nos avisar, colocou em liberdade o filho do rei. Ficamos sabendo depois que fora subornado pela promessa de uma grande soma em ouro. Se tivéssemos retido a esse capitão, o rei Siripada teria nos dado o quanto quiséssemos como resgate, pois ele era uma grande arma dos mouros na sua luta contra os pagãos. Era o grande condutor militar dos mouros e os pagãos o temiam extraordinariamente.

Cidade dos pagãos – No porto em que estávamos, além da cidade governada por Siripada, há outra, habitada por pagãos, construída igualmente sobre o mar, sendo, porém, muito maior do que a dos mouros. A inimizade entre os dois povos é tão grande que não passa um dia sem distúrbios e combates. O rei dos pagãos é tão poderoso como o dos mouros e, contudo, não é tão presunçoso quanto este. Pareceu-me fácil introduzir entre eles o cristianismo.[10]

O rei mouro soube dos danos que fizemos em seus juncos e se apressou em mandar dizer-nos que suas embarcações não iam lutar contra nós, mas haviam saído para guerrear contra os pagãos. E, para provar, nos mostraram algumas cabeças de pagãos mortos durante a batalha. Mandamos dizer ao rei que, sendo assim, deveria devolver-nos dois homens que haviam ficado em terra com nossas mercadorias e o filho de Juan Carvajo. Porém, o rei não concordou.

Desta maneira, Carvajo foi castigado com a perda de seu filho (que nasceu durante sua estada no Brasil), o qual, indubitavelmente, teria recuperado em troca do capitão-geral, a quem libertou por ouro.

Mouros prisioneiros – Retivemos a bordo dezesseis homens e três mulheres da ilha, os quais esperávamos conduzir à Espanha para presentear à rainha. Porém, Carvajo se apropriou delas.

AGOSTO DE 1521 – **Costumes e superstições** – Os mouros andam nus como todos os habitantes destas paragens. Apreciam muito o azougue, o qual bebem tanto para preservar a saúde como para curar enfermidades. Adoram Maomé e seguem sua lei, e por esta razão não comem carne de porco. Lavam as partes com a mão esquerda, que não usam nunca para comer. E não urinam em pé, mas agachados. Lavam o rosto com a mão direita e jamais esfregam os dentes com os dedos. São circuncidados como os judeus. Não matam cabras nem galinhas, sem antes dirigi-las para o Sol. Não comem nenhum animal que não tenham eles mesmo matado.

Produtos da ilha – Esta ilha produz alcânfor, espécie de bálsamo que destila gota a gota do córtex da árvore. As gotas são tão pequenas como um farelo, e se o produto ficar exposto ao ar evapora insensivelmente. A árvore que os produz se chama *capor*. Há também canela, gengibre, ameixas amarelas, laranjas, limões, cana-de-açúcar, melões, rabanetes, cebolas etc. Entre os animais há elefantes, cavalos, búfalos, porcos, cabras, galinhas, corvos e muitas outras aves.

As enormes pérolas do rei – Dizem que o rei de Bornéu tem duas pérolas tão grandes como ovos de galinha e tão perfeitamente redondas que, colocadas sobre uma mesa lisa, não ficam quietas. Quando levamos os presentes dei a entender por senhas que desejava muito vê-las. Ele prometeu me mostrá-las, mas não o fez. Alguns dos chefes me disseram que as conheciam.

Transações – Os mouros deste país usam uma moeda de bronze, a qual é perfurada para que possam conduzi-la enfiada em um arame. Esta moeda chama-se *pici*[11] e no anverso tem quatro letras, que são os quatro caracteres do rei da China. Em nossas transações nos davam: por um *cathil* (peso de duas libras) de azougue, seis taças de porcelana;

por caderno de papel recebíamos ainda mais; um cathil de bronze valia um vasinho de porcelana; três facas, um vaso maior; um *bahar* (peso equivalente a duzentos cathiles) de cera, por cento e sessenta cathiles de bronze; por oitenta cathiles, um bahar de sal, e por quarenta cathiles, um bahar de *anime*, espécie de resina com que calafetavam os barcos, pois neste país não havia breu. Vinte *tabiles* correspondem a um cathil. As mercadorias mais procuradas eram o cobre, o azougue, o zenabre, o vidro, os tecidos de lã e, sobretudo, ferros e os espelhos.

Juncos – Os juncos de que temos falado são as maiores embarcações. Sua construção é bastante sólida e suportam uma carga tão pesada quanto os nossos navios. A parte superior é feita de grossos bambus, que sobressaem fora do junco para fazer contrapeso.[12] Os mastros também são de cana e as velas de casca de árvore.

Porcelana – Vendo tanta porcelana em Bornéu, procurei tomar algumas notas sobre o produto. Disseram-me que é feita com uma terra muito branca, que se deixa no solo durante meio século para ser refinada. Em função disto nasceu um provérbio que diz que o pai a enterra para o filho. Asseguram que se em um destes vasos de porcelana for colocado veneno este veneno se tornará inofensivo.

A Ilha de Bornéu é tão grande que para dar uma volta completa em torno dela de embarcação se levaria três meses. Está aos 5º 15' de latitude setentrional e a 176º 40' de longitude da Linha de Demarcação.[13]

Saída de Bornéu – Ao sair desta ilha voltamos atrás para buscar um lugar adequado para consertar nossos navios, pois um tinha vazamento de água e outro estava com o leme avariado, devido a um choque contra os arrecifes, perto da ilha chamada Bibalón.[14] Corremos um outro grande susto, quando um marinheiro ao trocar o pavio de uma luz o atirou inadvertidamente perto da caixa de pólvora. Por sorte, conseguimos retirá-lo antes que a pólvora pegasse fogo.

Captura de uma piroga – Na rota, encontramos quatro pirogas carregadas de nozes de coco, que iam para Bornéu. Conseguimos capturar uma delas, embora a tripulação tenha conseguido se refugiar em uma ilhota. As outras três escaparam por detrás de outras ilhotas.

Cimbombón – Entre o cabo norte de Bornéu e a ilha Cimbombón, a 8º 7' de latitude setentrional, encontramos um porto muito bom para consertar nossos navios. Porém, como nos faltavam muitas coisas necessárias para a tarefa, tivemos que empregar 42 dias. Todos nós trabalhamos da melhor maneira que podíamos, um de uma maneira, outro de outra, mas cada um dando a sua contribuição e o seu conhecimento, porque o terreno era coberto de arbustos espinhosos e de urtigas e nós andávamos descalços.

Javalis, crocodilos e tartarugas – Há nesta ilha enormes javalis. Nós conseguimos matar um, quando passava de uma ilha para outra. Tinha uma cabeça de dois palmos e meio de comprimento e enormes presas.[15] Também se encontra crocodilos anfíbios, ostras, mariscos de todos os tipos e tartarugas muito grandes. Pegamos duas tartarugas, pesando, somente de carne, 26 libras uma, e 44 a outra. Pegamos um peixe cuja cabeça parecia a de um porco. Tinha dois chifres, o corpo revestido de uma substância óssea e sobre o dorso uma espécie de banquinho. Não era muito grande.

Folhas animadas – O que achei mais estranho foi uma espécie de árvore cujas folhas se animavam depois de cair. São semelhantes às da amoreira, porém mais compridas, com pecíolo curto e pontiagudo. Perto do pecíolo, de ambos os lados, têm dois pés que quando tocados se contraem. Guardei uma durante nove dias em uma caixa e quando a abria ela começava a rodar. Acredito que estas folhas vivem do ar.[16]

2 DE SETEMBRO DE 1521 – **Captura do governador de Palaoán** – Ao deixar esta ilha, melhor dito, este porto, encontramos um junco que vinha de Bornéu. Fizemos sinal para que parasse, porém, como não quis obedecer, o perseguimos, conseguindo prendê-lo e saqueá-lo. Iam no barco o governador de Palaoán, com um filho e um irmão. Demos a ele o prazo de uma semana para que pagasse como resgate quatrocentas medidas de arroz, vinte porcos, vinte cabras e cento e cinquenta galinhas. Ele não só deu tudo o que pedimos como ainda acrescentou, espontaneamente, nozes de coco, bananas, canas-de-açúcar e cântaros cheios de vinho de palmeira. Para corresponder à sua generosidade, lhe devolvemos uma parte de seus punhais e arcabuzes e lhe demos uma bandeira, uma túnica amarela e quinze braças de tecido. A seu filho demos um manto azul e a seu irmão, um tecido verde. Presenteamos também aqueles que os acompanhavam, de modo que nos separamos como bons amigos.

Cagayán e Chipit – Retrocedemos e voltamos a passar entre a ilha de Cagayán e o porto de Chipit, navegando entre Leste e Sudeste para buscar as Ilhas Molucas. Passamos perto de certas ilhotas, onde vimos o mar coberto de ervas, embora houvesse grande profundidade. Deu-nos a impressão de estar em outras paragens.[17]

Deixamos Chipit a Leste, reconhecemos a Oeste as ilhas de Zoló[18] e Taghima[19] onde, segundo nos disseram, se pesca as mais belas pérolas. *Pérolas do rei de Zoló* – Antes havia falado nas pérolas do rei Bornéu e agora falo como as conquistou. Este rei havia se casado com a filha do rei de Zoló, a qual lhe disse um dia que seu pai possuía duas grandes pérolas. Ganancioso como é, o rei de Bornéu saiu uma noite com quinhentas embarcações cheias de homens armados e aprisionou o rei de Zoló, seu sogro, e dois de seus filhos. Só os libertou depois que lhe foram dadas as ditas pérolas.

Cavit, Subanín, Monoripa – Navegando para Oeste-Noroeste, costeamos duas pequenas ilhas habitadas, Cavit e Subanín, e dez léguas adiante passamos por outra, chamada Monoripa. Os habitantes destas ilhas não têm casas, morando em suas próprias barcas.

Butuán e Calagán – As cidades de Cavit e Subanín estão situadas nas ilhas de Butuán e Calagán, onde cresce a melhor canela. Se tivéssemos parado ali, poderíamos encher os navios com o produto, porém não quisemos perder tempo para aproveitar o vento favorável, porque tínhamos que dobrar uma ponta e passar por algumas ilhotas que a rodeavam. Enquanto íamos navegando, muitos ilhéus se aproximavam de nós para comercializar, oferecendo dezessete libras de canela por duas facas, das que havíamos tirado do governador de Palaoán.

OUTUBRO DE 1521 – **Caneleira** – Posso descrever a caneleira por tê-la visto. Tem cinco ou seis pés de altura e a espessura de um dedo. Nunca tem mais de três ou quatro ramas. Sua folha é semelhante com a do louro. A parte usada é a da casca, que se colhe duas vezes ao ano. Todavia, a madeira e as folhas verdes têm sabor igual ao da casca. É chamada de *cainmana* (de onde vem o nome cinnamomum), porque *cain* significa madeira e *mana*, doce.

OUTUBRO DE 1521 – Prosseguindo rumo a Nordeste, para verificar a exata posição das Ilhas Molucas, chegamos a uma cidade chamada Mindanao, situada na mesma ilha onde estão Baután e Calagán.

Captura de um bignadai – Em nosso percurso, encontramos e capturamos um *bignadai*, barco semelhante a uma piroga. Como ofereceram resistência, matamos sete dos dezoito homens que compunham a tripulação. Eram melhor constituídos e mais robustos do que aqueles que até então havíamos visto. Eram chefes de Mindanao, entre os quais estava o irmão do rei, que nos assegurou que sabia muito bem a posição das Ilhas Molucas. Diante de suas informações, mudamos de rumo, colocando a proa para Sudeste. Estávamos então a 6º 7' de latitude Norte e a trinta léguas de distância de Cavit.

Benayanos, antropófagos – Contaram-nos que em um cabo desta ilha, próximo de um rio, vivem uns homens enormes que são grandes guerreiros e excelentes arqueiros, usando ainda como arma adagas de um palmo de comprimento. Estes homens, segundo nos contaram, quando prendem um inimigo, arrancam o seu coração e o comem cru, com suco de laranja ou limão. Eles são chamados benayanos.[20]

Ciboco etc. – Em nosso trajeto rumo a Sudeste encontramos quatro outras ilhas, chamadas Ciboco, Biraham-Batolach, Sarangani e Candigar.[21]

26 DE OUTUBRO DE 1521 – **Tempestade. Luzes elétricas. Devoção a São Telmo** – No sábado, 26 de outubro, ao anoitecer, enfrentamos uma forte tempestade, enquanto estávamos costeando a ilha de Biraham-Batolach. Recolhemos as velas e rogamos a Deus que nos salvasse. Vimos então no topo dos mastros a nossos três santos, que dissiparam a escuridão durante mais de duas horas: São Telmo no mastro maior, São Nicolau no mediano e Santa Clara no menor. Em reconhecimento à graça que nos concediam, prometemos um escravo a cada um deles e lhes fizemos oferendas.

Sarangani – Prosseguindo nossa rota em direção a Candigar, ancoramos em um porto que há no meio da ilha Sarangani. Paramos perto de umas casas, onde abundam o ouro e as pérolas. O porto está situado a 5º 9', a cinquenta léguas de Cavit. Os habitantes são gentis e andam nus como os demais povos destas paragens.

28 DE OUTUBRO DE 1521 – Nos detivemos ali um dia e pegamos à força dois guias para nos conduzirem às Ilhas *Molucas*. *Cheava, Caviao etc.* – Seguindo as indicações de nossos pilotos, navegamos em direção Sul-Sudoeste e passamos entre oito ilhas, metade habitadas e metade desertas. São as ilhas de Cheava, Caviao (sic), Cabiao, Camanuca, Cabaluzao, Cheai, Lipan e Nuza. Depois de passar por estas, nos encontramos frente a uma ilha muito bonita,[22] porém, como tínhamos vento contrário, não conseguimos aportar e ficamos bordejando a noite toda. *Nossos prisioneiros se salvam a nado* – Aproveitando a ocasião, os prisioneiros que colhemos em Sarangani saltaram do navio e escaparam a nado, juntamente com o irmão do rei Mindanao. Todavia, soubemos mais tarde que o filho deste não conseguiu sustentar-se nas costas do pai e se afogou.

Sanghir – Sendo impossível dobrar a ponta desta grande ilha, seguimos adiante, passando perto de muitas ilhotas. A bela ilha que deixamos de lado se chama Sanghir e tem quatro reis: rajá Matandatu, rajá Laga, rajá Bapti e rajá Parabu. Está a 3° 30' de latitude setentrional e a 27 léguas de Sarangani.

NOVEMBRO DE 1521 – **Chéoma, Carachita etc.** – Navegando sempre na mesma direção, passamos perto de outras cinco ilhas: Chéoma, Carachita, Pará, Zangalura e Ciau,[23] esta última distante dez léguas de Sanghir. Vimos ali uma montanha bastante extensa mas de pouca elevação. Seu rei se chama rajá Ponto.

Paghinzara – Divisamos a Ilha Paghinzara,[24] que tem três altas montanhas e cujo rei se chama rajá Babintan. Doze léguas a Leste de Paghinzara situam-se duas pequenas ilhas habitadas: Zoar e Meán.[25]

6 DE NOVEMBRO DE 1521 – **Vemos as Ilhas Molucas** – O guia que havíamos apanhado em Sarangani nos avisou que as ilhas que víamos à frente eram as Molucas. Demos graças a Deus e disparamos toda a artilharia em sinal de regozijo. Afinal, não era de se estranhar esta alegria ao ver as ilhas, pois estávamos no mar já há 27 meses menos dois dias e havíamos visitado uma infinidade de ilhas, sempre buscando as Molucas.

Impostura do portugueses – Os portugueses propalaram que estas ilhas estão situadas em meio a um mar inavegável devido os arrecifes que se encontram por toda parte e também devido a uma espessa neblina que a cerca. Todavia, nada disto existe. Nem nevoeiro e tampouco menos de cem braças de água em volta das Molucas.

8 DE NOVEMBRO DE 1521 – **Chegada a Tadore** – Na sexta-feira, 8 de novembro, três horas antes do pôr do sol, entramos no porto de uma ilha chamada Tadore.[26] Ancoramos perto da terra, com cerca de vinte braças de água, e disparamos toda a artilharia.

9 DE NOVEMBRO DE 1521 – **Visita do rei** – Na manhã seguinte, o rei veio até nós, em uma piroga, dando volta em torno de nossos navios. Nós saímos ao seu encontro nas chalupas, para tentar demonstrar nossa amizade. Ele nos fez entrar na piroga e sentar ao seu lado. O rei estava sentado sob um guarda-sol de seda e tinha diante de si, em pé, um filho que levava o cetro real. Também à sua frente estavam dois homens com enormes vasos de ouro cheios de água e outros dois com uma espécie de pequenos cofres dourados cheios de *betre* (bétel).

O soberano nos deu as boas-vindas, dizendo que há muito tempo havia sonhado que alguns navios deveriam vir de países distantes. E para assegurar-se se o sonho era verdadeiro, havia consultado a Lua e esta confirmara que os navegantes efetivamente chegariam. E agora, com a nossa chegada, o sonho se realizava.

Subiu em seguida a bordo e todos lhe beijamos a mão. Levamo-o até o castelo de popa onde, por não agachar-se, entrou pela abertura de cima. Ali sentou-se em uma cadeira de veludo vermelho e lhe colocamos uma túnica de estilo turco em veludo amarelo. E para demonstrar melhor nosso respeito, nos sentamos no solo à sua frente.

Acolhida do rei – Quando soube o que éramos e os objetivos de nossa viagem, nos disse que ele e seu povo teriam grande honra em ser nossos amigos e vassalos do rei da Espanha. Acrescentou que nos receberia na ilha como seus próprios filhos e que poderíamos baixar à terra e nela ficarmos como se estivéssemos em nossas próprias casas. E que por amor a nosso soberano era sua vontade que, daqueles dias em diante, sua ilha deixasse de se chamar Tadore e tomasse o nome de Castela.

Presentes ao rei – Demos-lhe de presente a cadeira em que sentara e a túnica que vestira, além de uma peça de tecido fino, quatro braças de escarlate, uma túnica de brocado, outros tecidos da Índias em seda com detalhes dourados, uma peça de tecido de Cambraya muito branca, dois gorros, seis colares de contas de vidro, doze facas, três espelhos grandes, seis tesouras, seis pentes, algumas taças de vidro dourado e outras coisas mais. A seu filho demos um tecido de seda e ouro, um espelho grande, um gorro e duas facas. Cada um dos nove acompanhantes recebeu um tecido de seda, um gorro e uma faca. E para os demais integrantes do séquito passamos a dar uma faca, até que o rei nos pediu para parar. Disse que estava descontente por não ter nada a presentear ao rei da Espanha, mas que oferecia sua pessoa. Aconselhou-nos aproximar mais os nossos navios das habitações da ilha e enfatizou que se alguém roubar-nos durante a noite, que matássemos sem piedade. Depois partiu muito satisfeito, embora nunca tenha inclinado a cabeça apesar de todas as reverências que lhe fizemos. Quando saiu disparamos a artilharia.

Vestimenta do rei – Este rei é mouro, isto é, árabe, de uns 45 anos de idade, e tem um aspecto muito bom. Sua vestimenta consistia em uma camisa muito fina, com mangas bordadas em ouro. Um pano lhe cobria desde a cintura aos pés. Na cabeça tinha um véu de seda e sobre ele uma grinalda de flores. Chama-se rajá sultão Manzor este soberano, que é tido como um grande astrólogo.

10 DE NOVEMBRO DE 1521 – **Curiosidade do rei** – No domingo, 10 de novembro, tivemos outra entrevista com o rei, que nos perguntou quais eram os nossos soldos e quanto o rei da Espanha ainda dava a cada um de nós. Satisfazemos sua curiosidade. Pediu-nos também um selo do rei e um estandarte real, pois queria que tanto sua ilha como a de Tarenate,[27] onde pretendia proclamar rei o seu sobrinho Calanogapi, se tornassem dali em diante tributários do rei da Espanha. Passaria no futuro a lutar por este rei e, se por infortúnio sucumbisse diante de seus inimigos, iria à Espanha em um de seus barcos devolver o selo e o estandarte. Solicitou ainda que deixássemos alguns de nossos homens, que lhe seriam mais valiosos que as mercadorias, as quais, acrescentou, lhes fariam recordar por tanto tempo ao rei da Espanha e a nós como os homens.

Vendo nossa pressa em carregar os navios com cravos de condimento, nos disse que os da ilha estavam bastante secos para nossos objetivos e que os buscaria na ilha de Bachián, onde esperava encontrar quantidade suficiente.

Não fizemos nenhuma compra naquele dia porque era domingo. O dia de festa e descanso destes ilhéus é a sexta-feira.

Detalhes sobre as Ilhas Molucas. Governos – Será agradável, sem dúvida, conhecer alguns detalhes sobre estas ilhas onde crescem as árvores que produzem o cravo em espécie. São cinco: Tarenate, Tadore, Mutir, Machián e Bachián.

Tarenate (Ternate) é a principal. O citado rei tentava estender seu domínio sobre as outras quatro. Tadore (Timor), a ilha em que estávamos, tinha o seu próprio rei, assim como Bachián. Mutir e Machián não tinham rei e sim governos populares. Quando havia guerra entre os reis de Tarenate e Tadore, ambas as repúblicas democráticas forneciam combatentes aos dois lados em luta. Toda a província onde cresce o cravo se chama Molucas.[28]

Francisco Serrano – Ao chegar a Tadore nos informaram que oito meses antes havia falecido um tal de Francisco Serrano, que era português e que se tornara capitão-geral do rei Tarenate, que estava em guerra com o rei de Tadore. Serrano obrigou o rei de Tadore a dar sua filha em casamento ao rei de Tarenate, exigindo ainda, como reféns, a quase totalidade dos filhos varões das pessoas mais importantes de Tadore.

Com este acerto fizeram as pazes e do casamento nasceu o neto do rei de Tadore, Calanogapi, já mencionado. O rei de Tadore, no entanto, jamais perdoou a Francisco Serrano e jurou vingar-se.

Serrano morre envenenado – Com efeito, alguns anos depois, Serrano resolveu ir a Tadore para comprar cravos e o rei o envenenou com um preparado tóxico em folhas de bétel. Ele não sobreviveu mais que quatro dias. O rei de Tarenate quis dar-lhe funerais segundo os usos do país, mas três criados cristãos de Serrano se opuseram. Ao morrer, Serrano deixou um filho e uma filha, ainda criança, que teve com uma mulher com que se casou em Java. Toda sua fortuna consistia em duzentos bahars de cravos.

Convite de Serrano a Magalhães para vir às Ilhas Molucas – Serrano foi grande amigo e creio que parente de nosso desditado capitão-geral e foi quem o fez decidir-se por esta viagem. Durante sua estada em Malaca, Magalhães soube por carta que Serrano estava em Cadore, onde se podia fazer um comércio vantajoso. Serrano escreveu-lhe quando o falecido rei de Portugal, D. Manoel, recusou-se aumentar seu soldo em um tostão[29] ao mês, recompensa que acreditava mais que merecida pelos serviços prestados à coroa.

Projeto de Magalhães – Para vingar-se é que Magalhães foi à Espanha e prôpos ao rei ir até as Ilhas Molucas pelo Oeste, tendo obtido a permissão real.

O rei de Tarenate envenenado por sua filha – Dez dias depois da morte de Serrano, o rei de Tarenate, chamado rajá Abuleis,[30] que havia se casado com uma filha do rei de Bachián, declarou guerra a seu genro e o expulsou de sua ilha. Sua filha interveio como mediadora entre pai e marido. Todavia, acabou envenenando o pai, que morreu dois dias depois, deixando nove filhos: Chechili-Momuli, Jadore-Vunghi, Chechilideroix, Cilimanzur, Cilipagi, Chialiuchechilin, Cataravajecu, Serich e Calanogapi.

11 DE NOVEMBRO DE 1521 – **Visita de Chechilideroix** – Na segunda-feira, 11 de novembro, Chechilideroix, um dos filhos do rei de Tarenate que acabamos de mencionar, se aproximou de nossos navios em duas pirogas, trazendo músicos com tímbales. Vestia uma túnica de veludo vermelho e trazia junto a viúva e os filhos de Serrano. Contudo, não se atreveu a subir a bordo, nem tampouco o convidamos, por não termos o consentimento do rei de Tadore, que era seu inimigo e que nos acolheu em seu porto. Quando perguntamos ao nosso anfitrião se poderíamos receber o visitante, este respondeu-nos que deveríamos saber o que fazer. Neste intervalo, Chechilideroix, vendo nossa incerteza, deu algumas desculpas e se

retirou. Tivemos que ir atrás deles em nossas chalupas para presentear-lhe com uma peça de tecido indiano de seda dourada, alguns espelhos, tesouras e facas, que aceitou de mau grado e partiu.

Manuel. Pedro Alfonso de Lorosa – Trazia com ele um nativo que se tornara cristão, batizado como Manuel, e que era criado de Pedro Alfonso de Lorosa, o qual, depois da morte de Serrano, viera de Bandán para Tarenate. Manuel, que falava português, subiu a bordo e nos disse que os filhos do rei de Tarenate, embora inimigos do rei de Tadore, estavam dispostos a abandonar Portugal para incorporar-se à Espanha. Enviamos então, por seu intermédio, uma carta a Lorosa, convidando-lhe a vir ver-nos sem o menor temor. Na continuação veremos como aceitou.

Costumes do rei de Tadore – Informando-me sobre os costumes do país, fiquei sabendo que o rei pode ter para o seu prazer quantas mulheres quiser, porém, uma só pode ser sua esposa, as outras são escravas. *Seu harém* – Tinha fora da cidade uma grande casa onde viviam duzentas de suas mais belas mulheres, com igual número de criadas. O rei fazia suas refeições sempre em uma espécie de estrado elevado, sozinho ou com sua esposa. Dali ele vê todas as outras mulheres sentadas ao redor e depois de haver ceado escolhe aquela com quem compartilhará o leito naquela noite. As mulheres jantam depois que o rei terminou suas refeições. Se ele permitir, fazem as refeições todas juntas, caso contrário cada uma come em sua habitação. Ninguém pode ver as mulheres do rei sem sua permissão especial e se algum imprudente se aproximar de suas habitações é morto na hora. Para prover o harém real, cada família tem obrigação de dar uma ou duas de suas filhas. O rajá sultão Manzor tinha vinte e seis filhos, sendo oito homens e dezoito mulheres. Havia na Ilha de Tadore uma espécie de bispo,[31] que tinha quarenta mulheres e muitos filhos.

12 DE NOVEMBRO DE 1521 – **Comércio** – Na terça-feira, 12 de novembro, o rei mandou construir uma cobertura, que acabaram em um dia, para nossas mercadorias. Levamos para lá tudo o que tínhamos para cambiar e deixamos sob a guarda de três dos nossos homens. O valor das mercadorias que iríamos dar em troca dos cravos foi fixado da seguinte maneira: por dez braças de tecido vermelho de boa qualidade deveriam dar-nos um bahar de cravos. O bahar equivale a quatro quintais e seis libras. Cada quintal pesa cem libras. Por quinze braças de pano de qualidade mediana, pediríamos um bahar de cravos; por quinze machados, um bahar; por trinta e cinco taças de vidro, um bahar (todas as taças de vidro foram trocadas nesta base com o rei); por cento e cinquenta facas, um bahar; por cento e cinquenta tesouras ou por quarenta gorros, um bahar; por dez braças de tecido de Guzzerate,[32] um bahar; por um quintal de cobre, um bahar. Levávamos uma grande partida de espelhos, mas a maior parte quebrou durante a viagem. Dos que sobraram, o rei se apropriou de todos. Parte destas mercadorias provinha dos juncos que apresamos. Fizemos, como se vê, um negócio muito vantajoso, não tirando maior proveito, contudo, porque tínhamos pressa em retornar para a Espanha. Além dos cravos, fizemos uma boa provisão de víveres. Os navios chegavam sem cessar com suas barcas para trazer-nos cabras, galinhas, nozes de coco, banana e outros produtos comestíveis, que nos davam em troca de coisas de pouco valor.

Água quente – Também nos provisionamos de uma água excessivamente quente, porém, que exposta ao ar durante uma hora se tornava muito fria. Dizem que este fenômeno se dá pelo fato da água provir das montanhas que são cheias de árvores de cravos.[33] Isto foi mais uma prova da impostura dos portugueses, os quais queriam fazer crer que havia uma falta completa de água doce nas

Ilhas Molucas e que deviam buscá-la muito longe, em outros países.

13 DE NOVEMBRO DE 1521 – **Prisioneiros em liberdade** – No dia seguinte, o rei enviou seu filhos Mossahap à ilha de Mutir para buscar mais cravos, de modo que pudéssemos completar logo nosso carregamento. Os nativos que havíamos capturado na nossa travessia encontraram ocasião para falar com o rei, o qual se interessou por eles. Pediu-nos que os entregássemos para enviá-los a seus respectivos países, acompanhados de cinco cidadãos de Tadore. Enfatizou que com isto teriam oportunidade pelo caminho de elogiar o rei da Espanha e fazer com que o nome do soberano espanhol fosse querido e respeitado por todos estes povos. Nós lhe entregamos então as três mulheres que pretendíamos presentear à rainha da Espanha e todos os homens que tínhamos conosco, exceto os de Bornéu.

O rei nos pediu outro favor: que matássemos todos os porcos que tínhamos a bordo, oferecendo em compensação uma quantidade maior de cabras e aves. Mais uma vez o atendemos. Degolamos os porcos em nosso entreposto para que os mouros não se apercebessem, visto que sentiam tal repugnância por este animal que, quando por casualidade o viam, fechavam os olhos e o nariz para não vê-los nem sentir seu cheiro.

Relato de Lorosa – Na mesma tarde, o português Pedro Alfonso de Lorosa, usando uma piroga, veio até nosso navio. Soubemos que o rei lhe mandara buscar para advertir que, mesmo sendo de Tarenate, deveria evitar mentiras nas respostas às nossas perguntas. Efetivamente, quando conversamos nos deu todas as informações que poderiam nos interessar. Disse que estava nas Índias há dezesseis anos, dez dos quais passara nas Ilhas Molucas, onde chegou com os primeiros portugueses. Salientou que os portugueses efetivamente haviam se estabelecido ali há dez anos, mas que guardavam o mais profundo segredo sobre o descobrimento dessas ilhas. E que há onze meses e meio um grande navio veio de Malaca até as Molucas para carregar cravo, tendo ficado retido em Bandán durante alguns meses por causa do mau tempo. O capitão português do navio que procedia de Europa, Tristão de Menezes, disse a Lorosa que a notícia mais importante que corria então era que uma esquadra de cinco navios, sob o comando de Fernão de Magalhães, havia partido de Sevilha para ir descobrir as Molucas em nome do rei da Espanha. E mais, que o rei de Portugal, desgostoso tanto com o objetivo da expedição como com o chefe da mesma, seu ex-súdito, mandou navios ao Cabo de Boa Esperança e ao Cabo de Santa Maria,[34] no país dos canibais, para interceptar-lhe a passagem no mar da Índias. Todavia, não o haviam encontrado.

Soube em seguida que passou por outro mar e que ia às Ilhas Molucas pelo Oeste, tendo ordenado a Diego López de Sichera, seu capitão-em-chefe nas Índias,[35] que enviasse seis navios de guerra às Molucas para enfrentar Magalhães. Mas Sichera informou-lhe que neste mesmo tempo os turcos estavam preparando uma frota para ir contra Malaca e por isto se via obrigado a mandar sessenta barcos de guerra ao estreito de Meca, na terra de Judá.[36] Seus homens encontraram as galeras encalhadas na beira do mar, próximo da bela e forte cidade de Ádem, tendo queimado todas elas.

Esta expedição impediu que o capitão-geral português viesse contra nós mas, pouco depois, enviou ao nosso encontro um galeão com duas filas de canhões, comandado por outro capitão português, Francisco de Faria. No entanto, o galeão não chegou até as Ilhas Molucas. Seja pelos arrecifes que existem perto de Malaca, seja pelas correntes e ventos contrários que encontrou, o certo é que teve que retornar ao porto de onde havia saído. Lorosa acrescentou que, poucos dias antes, uma caravela com dois juncos havia chegado às Ilhas Molucas para obter notícias sobre nós. Os juncos esperaram em Bachián para carregar cravos em espécie, levando a bordo sete portugueses, os quais, apesar das advertências do rei, não respeitaram nem as mulheres dos indígenas nem as do próprio rei, e foram todos assassinados. Ao saber desta notícia, o capitão da caravela julgou oportuno partir a todo vento para Malaca, abandonando em Bachián os juncos com quatrocentos bahars de cravos e outras mercadorias suficientes para serem trocadas por outros cem bahars.

Comércio de Malaca – Nos informou também que anualmente vão muitos juncos de Malaca a Bandán para comprar macis e noz moscada e dali seguem até as Molucas para carregar cravos. Em três dias se faz a viagem de Bandán a Malaca. Este comércio entre ilhas, dizia ele, é o que proporciona maiores lucros a Portugal, daí o interesse em mantê-lo oculto da Espanha. O que Lorosa acabara de dizer era de extremo interesse para a Espanha e procuramos persuadir-lhe viajar conosco para a Europa, prometendo-lhe que o rei espanhol lhe daria grandes recompensas.

15 DE NOVEMBRO DE 1521 – Na sexta-feira, 15 de novembro, o rei nos disse que ia a Bachián para buscar os cravos que os portugueses haviam deixado e pediu-nos presentes para os governantes de Mutir, os quais entregaria em nome do rei da Espanha. Enquanto permaneceu em nosso navio divertiu-se muito vendo-nos manejar as armas: a balista, o fuzil e o bersil, que é maior que um arcabuz. Chegou a dar três tiros de balista, mas não quis nem tocar no arcabuz.

Giailolo – Em frente a Tadore há uma ilha muito grande chamada Giailolo,[37] habitada por mouros e pagãos.

Os mouros têm dois reis e, segundo nos disse o rei de Tadore, um rei tinha seiscentos filhos e o outro quinhentos e vinte e cinco. Os pagãos não têm tantas mulheres como os mouros, nem são tão supersticiosos. A primeira coisa que encontram pela manhã torna-se objeto de sua adoração durante o dia. Seu rei se chama rajá Papua, é riquíssimo em ouro e mora no interior da ilha. Entre as rochas desta ilha crescem canas tão grossas como a perna de um homem e são cheias de uma excelente água para beber. Compramos muitas destas. A ilha de Giailolo é tão grande que uma canoa leva quatro meses para dar uma volta completa em torno dela.

16 DE NOVEMBRO DE 1521 – No dia seguinte pela manhã, um domingo, o mesmo rei voltou a bordo para ver como combatíamos e disparávamos as bombardas. Fizemos uma demonstração que o deixou muito encantado, pois durante sua juventude fora um grande guerreiro.

No mesmo dia baixei a terra para ver as árvores do cravo e como o fruto se reproduz. Eis aqui o que observei: é muito alto e seu tronco pode ter a grossura do corpo de um homem, dependendo da idade. Suas ramas se estendem mais em direção ao meio do tronco, de modo que a copa forma uma pirâmide. Sua folha se assemelha com a do louro e a casca é de uma cor acentuada. Os cravos nascem na ponta dos ramos, em grupo de dez a vinte. Dá mais fruto em um lado do que em outro, segundo as estações. Os cravos são a princípio brancos, ao amadurecer tornam-se rosados e no ponto de serem colhidos tornam-se negros. São colhidos duas vezes ao ano, a primeira pelo Natal e a segunda por São João, isto é, mais ou menos entre dois solstícios, estações em que o ar é mais temperado neste país. Quando o ano é quente e com pouca chuva, a colheita de cravos atinge em cada uma destas ilhas de trezentos a quatrocentos bahars. A árvore cresce somente nas montanhas e morre quando é transportada para o plano.[38] A folha, a casca e mesmo a parte interna da árvore têm odor e sabor tão fortes como o do fruto. Este fruto, se não for colhido no ponto de sua natureza, engorda tanto e fica tão duro que não se aproveita mais que sua casca. As árvores de cravos existem apenas nas cinco Ilhas Molucas. Encontram-se algumas também na Ilha Giailolo e na ilhota de Mare, entre Tadore e Mutir, porém seus frutos não são tão bons. Dizem que a névoa lhe dá um certo grau de perfeição, todavia, durante nossa estada não vimos mais que umas pequenas nuvens rondando ora uma ora outra das montanhas com árvores de cravos. Cada habitante possui algumas árvores, que vigia e colhe os frutos, mas jamais se preocupa com a plantação ou cultivo. Em cada ilha o cravo é chamado de uma maneira diferente: *gomode* em Tadore, *bongalavan* em Sarangani e *chianche* nas Molucas.

Noz moscada – A ilha também produz noz moscada,[39] parecida com as nossas nozes, tanto pelo fruto como pela folha. Quando se colhe, a noz moscada se assemelha com o marmelo, por sua forma, cor e penugem que a cobre, porém, é menor. Sua primeira camada é tão espessa quanto o pericarpo de nossas nozes. Debaixo há uma tela delgada, melhor dito, de cartilagem, sob a qual está o macis, de um vermelho muito vivo, que envolve a parte mais consistente que contém a noz moscada propriamente dita.

Gengibre – O gengibre também é tão produzido na ilha que nós o comemos como se fosse pão. Não nasce de árvore, mas de arbustos com talos à flor da terra de um palmo de comprimento. São parecidos com os brotos das canas, inclusive as folhas, embora as do gengibre sejam mais estreitas. O talo não serve para nada, só se aproveita a raiz, que é o gengibre usado no comércio. O gengibre verde não é tão forte como o seco. A única maneira de conservá-lo é secá-lo e cobri-lo de cal.

Casas – As casas destes ilhéus são construídas da mesma forma como as dos moradores das ilhas vizinhas, embora não sejam tão elevadas. Normalmente são rodeadas de bambu.

Mulheres e homens – As mulheres deste país são feias, andam nuas como as de outras ilhas, cobrindo apenas suas partes sexuais com um tecido feito de casca de árvore. Os homens andam igualmente nus e apesar da feiúra de suas mulheres são muito ciumentos. Ficavam perturbados ao ver-nos chegar a terra com as pretinas abertas,[40] porque imaginavam que isto poderia induzir as mulheres a más tentações. Tanto homens como mulheres andam descalços.

Tecidos de casca de árvore – Seus tecidos de casca de árvore são feitos do seguinte modo: retiram um pedaço de casca e colocam de banho na água até que amoleça; depois o golpeiam com uma espécie de chicote, para estendê-lo longitudinal e lateralmente. Este processo é realizado até que se pareça com uma tecelagem de seda crua, com fios entrelaçados interiormente, como se fosse realmente tecido.

Pão de madeira – Com a madeira de uma árvore parecida com a palmeira fazem o seu pão. Desta forma: apanham um pedaço de madeira, retiram certos espinhos pretos e compridos, e em seguida o amassam em um pilão. Do produto daí resultante fazem o pão, que se chama *sagou*. Quando saem para o mar levam provisões deste pão.

Os moradores de Tarenate vinham diariamente em suas canoas oferecer-nos cravos em espécie, porém, como esperávamos que o rei nos oferecesse o suprimento necessário, não comprávamos nada deles, o que os deixava muito tristes. Nos limitávamos apenas a comprar os víveres que traziam.

24 DE NOVEMBRO DE 1521 – Na noite de domingo, 24 de novembro, o rei veio até nós novamente, tendo passado com suas canoas por entre nossos navios, ao som de cantos e tambores. Para retribuir e mostrar nosso respeito, o saudamos com salvas de bombardas. O soberano nos informou que, em consequência das ordens que deu, nos trariam, durante quatro dias, uma considerável quantia de cravos.

25 DE NOVEMBRO DE 1521 – Com efeito, no dia seguinte nos trouxeram 161 cathis, que pesamos sem descontar a *tara*. Descontar a tara neste caso significa aceitar as espécies com menos peso do que realmente têm. Isto é, quando estão frescas pesam mais do que depois de secas. Os cravos enviados pelo rei eram os primeiros que embarcávamos e constituíam o principal objetivo de nossa viagem. Quando armazenamos a primeira remessa, disparamos a artilharia em sinal de regozijo.

26 DE NOVEMBRO DE 1521 – **Convite do rei** – Na terça-feira, 26 de novembro, o rei nos visitou para dizer-nos que fazia por nós o que nunca tinham feito seus predecessores, mas que tinha prazer em dar-nos esta amostra de sua amizade para com o rei da Espanha. E que fazia isto para que pudéssemos partir o quanto antes para nosso país e voltar em seguida com maiores forças para vingar a morte de seu pai, a quem mataram numa ilha chamada Bouru e cujo cadáver jogaram no mar. Acrescentou que era costume em Tadore, quando se carregava cravos em um navio ou em um junco pela primeira vez, que o rei desse uma festa aos marinheiros e aos mercadores do barco, rogando ao céu, ao mesmo tempo, para que cheguem felizmente às suas casas. Esperava aproveitar a ocasião de um banquete programado para o rei de Bachián, que viria visitá-lo com seu irmão, e para o que ele já havia mandado limpar as ruas e os caminhos da cidade.

Recusamos – O convite nos inspirou suspeitas, porque soubemos que na praia onde chegávamos com nossas canoas três portugueses foram assassinados pelos ilhéus, ocultos em um bosque das proximidades. Além disto, os moradores de Tadore frequentemente conferenciavam com os índios que trazíamos como prisioneiros. De modo que, apesar da opinião de alguns dos nossos que aceitaram prazerosamente o convite do rei, a recordação da funesta festividade de Cebu nos fez recusá-la. Contudo, enviamos ao rei nossos agradecimentos e desculpas, pedindo-lhe que viesse o quanto antes aos nossos navios para entregar-lhe os quatro escravos que lhe prometemos, pois nossa intenção era partirmos enquanto estivesse fazendo bom tempo.

O rei veio no mesmo dia e subiu a bordo sem mostrar a menor desconfiança, dizendo que entre nós se achava como em sua própria casa, e que se sentia surpreso com uma partida tão repentina e tão pouco usual. Afinal, todos os navios empregavam trinta dias, em média, para completar sua carga e nós o fizemos em muito menos tempo. E disse mais, que se nos ajudou, até mesmo saindo de sua ilha, para que carregássemos mais depressa os cravos, não pensou com isto acelerar nossa partida, ainda mais que a estação não era favorável para navegar naqueles mares, havendo baixios próximos de Bandán. E que também poderíamos encontrar alguns barcos de nossos inimigos, os portugueses.

Quando viu que tudo que havia dito não fora suficiente para deter-nos, enfatizou: "Está bem. Devolverei tudo que me deram em nome do rei da Espanha, porque se partirem sem dar-me tempo de preparar ao vosso rei outros presentes dignos de sua grandeza, todos os reis vizinhos dirão que o rei de Tadore é um ingrato, por receber benefícios de um rei tão poderoso quanto o de Castela sem mandar-lhe nada em troca. Dirão também que partiram tão precipitadamente por medo de uma traição minha e por toda a vida levarei a fama de traidor". Em seguida, para assegurar-nos contra toda suspeita que pudéssemos ter de sua boa intenção, pediu o Corão a um de seus assessores, o beijou devotadamente e o colocou sobre a cabeça umas quatro ou cinco vezes, falando baixinho certas palavras que eram a invocação chamada *zambeham*. Depois disse em voz alta, na presença de todos, que jurava por *Alá* (Deus) e pelo Corão, que tinha na mão, que seria sempre um fiel amigo do rei da Espanha. Proferiu tudo isto quase chorando e com tal aspecto de sinceridade que lhe prometemos passar mais quinze dias em Tadore. E lhe demos o selo e o estandarte do rei.

Soubemos pouco a pouco que algumas personalidades da ilha haviam aconselhado ao rei que efetivamente nos assassinasse a todos, para com isto conquistar o reconhecimento dos portugueses, que lhe poderiam ajudar melhor que os espanhóis a vingar-se do rei de Bachián. Porém, o rei de Tadore, leal e fiel ao rei da Espanha, com o qual havia jurado a paz, respondeu que nada o induziria a tal traição.

27, 28, 29 E 30 DE NOVEMBRO DE 1521 – Na quarta-feira, 27, o rei mandou divulgar um aviso, que todo aquele que quisesse nos vender cravos poderia fazê-lo livremente. Aproveitamos a ocasião e compramos grande quantidade.

Na sexta-feira, chegou a Tadore o rei de Bachián, com muitas pirogas, mas não quis saltar a terra, porque se achavam refugiados naquela ilha o seu pai e o seu irmão, desterrados de Bachián.

No sábado, o rei veio aos nossos navios com o governador de Bachián, seu sobrinho Humai, jovem de 25 anos. Quando soube que não tínhamos mais os tecidos que dávamos de presente, mandou buscar em sua casa três peças de pano vermelho, que nos entregou para que pudéssemos ofertar ao governador, juntamente com outros objetos que possuíamos. Atendemos o pedido e na saída fizemos muitos disparos de canhão.

1, 2, 4, 5 E 6 DE DEZEMBRO DE 1521 – **Festa de Santa Bárbara** – **Compramos cravo por pouco preço** – Ao retornar para sua ilha, no domingo, 1º de dezembro, o governador de Bachián nos disse que o rei também lhe dera alguns presentes, para que nos enviasse, o quanto antes, remessas de cravos.

Na segunda-feira, o rei fez outra viagem fora de sua ilha com o mesmo objetivo.

Na quarta-feira, dia de Santa Bárbara, fizemos uma homenagem a ela e ao rei, que havia regressado, com uma descarga cerrada de artilharia. À noite, queimamos fogos de artifício que divertiram muito ao rei.

Na quinta e na sexta-feira, compramos muito cravo que nos ofereciam a preços muito baratos, porque sabiam que estávamos a ponto de partir. E como cada marinheiro queria levar a sua porção para Espanha, trocaram até suas roupas por cravos.

7, 8 E 9 DE DEZEMBRO DE 1521 – **Visita dos filhos do rei de Tarenate** – No sábado, três filhos do rei de Tarenate, com suas mulheres, filhas do rei de Tadore, vieram até nossos navios. O português Pedro Alfonso estava com eles. Presenteamos os três irmãos com grandes taças de vidro com detalhes dourados e às mulheres demos tesouras e outras bugigangas. Também mandamos algumas lembranças à outra filha do rei de Tadore, viúva do rei de Tarenate, que não quis subir a bordo.

No domingo, dia de Nossa Senhora da Conceição, disparamos canhões, bombas e foguetes, com grande regozijo.

Na segunda-feira à tarde, o rei veio a bordo novamente com três mulheres, que levavam o seu bétel. Devo salientar que somente os reis e os membros da família real tinham direito de levar mulheres consigo. No mesmo dia, voltou pela segunda vez o rei de Giailolo para ver o manejo da artilharia.

Como o dia fixado para nossa partida se aproximava, o rei nos visitava com frequência e nós o sentíamos verdadeiramente comovido, dizendo-nos entre outras coisas que se parecia a um menino de peito a quem a mãe vai desmamar. Nos pediu que deixássemos algumas armas para sua defesa.

Aviso do rei – Nos advertiu que não navegássemos durante a noite, por causa dos rochedos e arrecifes existentes neste mar. E quando lhe dissemos que nossa intenção era navegar dia e noite, para chegar o mais rápido possível à Espanha, nos disse que neste caso nada mais podia fazer do que rogar a Deus pelo sucesso de nossa viagem.

Lorosa vem a bordo – Neste meio tempo, Pedro Alfonso de Lorosa veio a bordo com sua mulher e todos os seus pertences para voltar conosco para Europa. *Chechilideroix quer levá-lo* – Dois dias depois, Chechilideroix, filho do rei de Tarenate, chegou com uma canoa repleta de homens armados e convidou Lorosa a ir com ele. Mas o português, suspeitando de sua má intenção, se protegeu muito bem dele e nos advertiu para que não o deixássemos subir a bordo. Seguimos seu conselho. Quando viu frustrado seu intento, Chechili gritou ameaças aos da casa em que Lorosa estava alojado por o haverem deixado partir. Soubemos depois que Chechili tinha projetos de apoderar-se de Pedro Alfonso de Lorosa.

15 DE DEZEMBRO DE 1521 – **Casamento de uma filha do rei** – O rei nos informou que uma de suas filhas iria se casar com um irmão do rei de Bachián e nos pediu que,

quando o soberano da ilha vizinha chegasse, fizéssemos uma descarga de artilharia. No dia 15 de dezembro, pela tarde, ele efetivamente chegou e nós cumprimos o que o rei nos havia solicitado, embora sem disparar a artilharia grossa, porque os navios estavam demasiadamente carregados.

O rei de Bachián e seu irmão, futuro esposo da filha do rei de Tadore, chegaram em um grande barco com três filas de remadores em cada lado, num total de cento e cinquenta homens. O barco estava todo ornamentado com plumas de papagaio brancas, amarelas e vermelhas, e o som de tambores acompanhava o movimento dos remos. Em outras duas canoas estavam as moças que iriam prestar serviços à esposa. Nos saudaram dando a volta ao redor de nossos barcos e repetiram uma volta no porto.

Etiquetas e cerimônias – Como a etiqueta não permite que um rei pise a terra do outro, o rei de Tadore visitou ao de Bachián em sua própria canoa. Este, ao ver-lhe chegar, se levantou do tapete em que estava sentado, cedendo seu lugar ao rei de Tadore, o qual, por cortesia, tampouco aceitou sentar-se no tapete, colocando-se ao lado, deixando o tapete em meio aos dois. Então o rei de Bachián ofereceu ao de Tadore, como compensação pela esposa que dava ao seu irmão, quinhentos cortes de um tecido de seda e ouro fabricado na China e muito apreciado por estas ilhas. Cada corte deste vale, em média, três bahars de cravos, dependendo do trabalho em ouro que tenha. Quando alguma pessoa de destaque da ilha morre, os parentes o cobrem com estes panos para dar-lhe a devida honraria.

16 DE DEZEMBRO DE 1521 – Na segunda-feira, o rei de Tadore enviou uma ceia ao de Bachián. Era conduzida por cinquenta mulheres, cobertas com tecidos de seda desde a cintura até os joelhos. Iam de duas a duas com um homem ao meio. As mulheres carregavam grandes bandejas contendo

pratos dos mais diferentes quitutes. Os homens carregavam grandes vasos de vinho. Dez mulheres de mais idade faziam às vezes de mestras de cerimônias. Chegaram nesta ordem ao barco e apresentaram tudo ao rei, que estava sentado em um tapete, sob um dossel vermelho e amarelo.

Em seu regresso, as mulheres se juntaram a alguns dos nossos, os quais não conseguiram livrar-se delas enquanto não lhes deram algum presente. O rei de Tadore nos enviou em seguida víveres, tais como cabras, cocos, vinho e outros artigos comestíveis.

Neste mesmo dia, colocamos velas novas nos navios, sobre as quais pintamos a cruz de Santiago de Galícia, com esta inscrição: ÉSTA ES LA FIGURA DE NUESTRA BUENA VENTURA.

17 DE DEZEMBRO DE 1521 – **Presentes ao rei** – Na terça-feira, demos ao rei alguns dos arcabuzes que tomamos dos índios quando nos apoderamos de seus juncos, e quatro barricas de pólvora.

Embarcamos em cada navio oitenta tonéis de água, deixando a lenha para ser apanhada na ilha de Mare, onde deveríamos passar e para onde o rei havia enviado homens para prepará-la para nós.

Aliança com o rei de Bachián – No mesmo dia, o rei de Bachián obteve permissão do rei de Tadore para vir a terra e pactuar uma aliança conosco. Chegou precedido de quatro homens que empunhavam longos punhais e disse, na presença do rei de Tadore e todo seu séquito, que estaria sempre pronto a colocar-se a serviço do rei da Espanha. Disse mais, que guardaria todo o cravo que havia sido deixado pelos portugueses até a chegada de outra esquadra espanhola. E que, por nosso intermédio, enviava ao rei da Espanha um escravo e dois bahars de cravos. Que gostaria de mandar dez, mas que nossos navios estavam tão abarrotados que já não suportavam mais.

Aves do paraíso – Nos deu também para levar ao rei da Espanha dois pássaros empalhados muito bonitos. Tinham o tamanho de um sabiá: a cabeça pequena, o bico comprido, as patas da grossura de uma pena de escrever, o rabo parecido com o do sabiá; sem asas, tendo em seu lugar longas plumas de diferentes cores. As demais plumas são escuras. Só voam quando tem vento. Dizem que vêm do paraíso terrestre e os chamam de *bolondinata*, isto é, Pássaro de Deus.[41]

Estranho costume do rei de Bachián – O rei de Bachián aparentava ter uns setenta anos. Nos contaram uma coisa muito estranha sobre ele: sempre que ia combater os inimigos ou quando ia empreender algo de importância, se entregava antes, duas ou três vezes, aos prazeres de um de seus criados, escolhido para tal fim. Assim como César, segundo o relato de Suetonio, costumava entregar-se a Nicomedes.

Bruxos – Um dia o rei de Tadore mandou dizer aos nossos que guarneciam o armazém de nossas mercadorias que não saíssem durante a noite porque havia ilhéus que, por meio de certos unguentos, tomavam a figura de um homem sem cabeça. Deste modo passeavam pela ilha e quando encontravam alguém a quem não queriam lhe untavam a palma da mão, com o que o homem caía enfermo e morria ao cabo de três ou quatro dias. Se encontravam três ou quatro pessoas juntas, não as tocavam, mas possuíam a arte de aturdi-las. Acrescentou o rei que era preciso ter cuidado com este bruxos e que já havia prendido muitos.

Casa nova – Antes de habitar uma casa nova, fazem uma grande fogueira ao lado e muitas festividades. Em seguida penduram no teto uma amostra de tudo de bom que a ilha produz, acreditando que assim nunca faltará nada aos que a habitarem.

18 DE DEZEMBRO DE 1521 – **Retardamos a partida por ter uma infiltração de água no *Trinidad*** – Na quarta-feira pela manhã tudo estava pronto para a partida. Os reis de Tadore, Giailolo e de Bachián, assim como o filho do rei de Tarenate, vieram para acompanhar-nos até a ilha de Mare. O navio *Victoria* ergueu as velas por primeiro e enveredou para o mar, onde ficou à espera do *Trinidad*. Este, porém, levantou âncoras com muita dificuldade e os marinheiros descobriram que estava com uma infiltração de água no porão. O *Victoria* voltou então a ancorar onde estava antes, enquanto se descarregava em grande parte o *Trinidad* para tentar consertá-lo. Todavia, embora tenha atracado de bombordo, a água entrava cada vez com mais força, como que por um cano, sem que pudéssemos encontrar o ponto de infiltração. Bombeamos durante todo este dia e no seguinte, porém sem êxito.

Procura-se a infiltração em vão – A notícia chegou aos ouvidos do rei de Tadore e ele veio até o navio para ajudar-nos. *Búzios* – Mandou que submergissem cinco de seus búzios, acostumados a permanecer muito tempo debaixo d'água. Trabalharam mais de meia hora sem encontrar o ponto em que entrava água. E como, apesar do trabalho das bombas, a água continuava a subir, mandou buscar noutro extremo da ilha a três búzios mais hábeis do que os que estavam tratando do caso.

19 DE DEZEMBRO DE 1521 – **Projeto de abandonar o *Trinidad*** – O rei voltou no dia seguinte com os três novos búzios. Estes entraram no mar e deixaram seus cabelos flutuando, acreditando que com isto seriam levados em direção ao curso da água que penetrava no navio, descobrindo, assim, onde estava o vazamento.[42] Porém, depois de uma hora, subiram definitivamente à superfície sem encontrar nada. O rei se mostrou tão afetado com o que

ocorria, ao ponto de se oferecer para ir à Espanha e relatar ao soberano o que nos sucedia. Todavia, lhe respondemos que poderíamos fazer a viagem apenas com o *Victoria*, que não tardaria em partir aproveitando os ventos do Leste que começavam a soprar. Enquanto isto, consertariam o *Trinidad*, o qual poderia aproveitar em seguida os ventos do Oeste para ir a Darién, do outro lado do mar, na terra de Diucatán.[43] O rei disse que poderíamos deixar o navio ali, pois tinha 250 carpinteiros a seu serviço e que colocaria todos à nossa disposição para executar o trabalho de restauração do navio, sob a direção dos nossos homens. E que aqueles que permanecessem na ilha seriam tratados como seus próprios filhos. Pronunciou estas palavras com tamanha emoção que nos fez derramar lágrimas.

Aprontamos o *Victoria* – Nós, da tripulação do *Victoria*, temendo que sua carga fosse excessiva, podendo causar problemas em alto-mar, decidimos mandar à terra sessenta quintais de cravos e os guardamos na casa em que ficaria alojada a tripulação do *Trinidad*. Houve alguns, no entanto, que preferiram ficar nas Ilhas Molucas a seguir para a Espanha. Atormentava-os o temor de que o navio não resistiria à longa viagem, vindo ainda a recordação do que sofremos antes de chegar às Molucas, o que fazia com que muitos temessem morrer de fome no meio do oceano.

21 DE DEZEMBRO DE 1521 – **Saída do *Victoria*** – No sábado, 21 de dezembro, dia de São Tomás, chegaram os guias que havíamos pago antecipadamente para nos conduzir até a saída das ilhas. Nos disseram que o tempo era excelente e que deveríamos partir o quanto antes. Mas ainda tivemos que esperar que nos trouxessem as cartas de nossos companheiros que ficariam na ilha e que deveríamos levar à Espanha. Com isto não conseguimos levantar âncora antes do meio-dia. Por fim, tudo pronto,

os barcos se despediram com uma descarga recíproca de artilharia. Nossos companheiros nos seguiram em suas chalupas tão longe quanto puderam, até que nos separamos chorando.

Juan Carvajo ficou em Tadore com 53 europeus. Nossa tripulação era composta de 47 europeus e 13 índios.

Carregamos madeira em Mare – O governador e ministro do rei de Tadore nos acompanhou à ilha de Mare, onde mal chegamos e quatro canoas cheias de madeira se aproximaram de nosso navio. Em menos de uma hora estava tudo carregado.

Produtos das Ilhas Molucas – Todas as Ilhas Molucas produzem cravos em espécie, gengibre, sagu (que é a madeira de que fazem o pão), arroz, nozes de coco, bananas, figos, amêndoas maiores que as nossas, romãs doces e acres, cana-de-açúcar, melão, pepinos, cachaça, um fruto que chamam *comilicai*[44] e que é muito refrescante e do tamanho de uma melancia, além de outro fruto parecido com o pêssego e que chamam *guave*[45] e outros vegetais comestíveis. Também há azeite de coco e de gergelim. De animais úteis possuem cabras, galinhas e uma espécie de abelha que não é maior que uma formiga e que faz sua colmeia em troncos das árvores, depositando um excelente mel. Há muitas variedades de papagaios, entre eles um branco que se chama *catara* e outro vermelho chamado *nori*, que é mais apreciado não só pela beleza de sua plumagem, mas porque pronunciam mais claramente as palavras que aprendem. Um papagaio vale um bahar de cravos.

Conquista das Ilhas Molucas – Faz apenas cinquenta anos que os mouros conquistaram as Ilhas Molucas, passando a habitá-las e espalhando por ali sua religião. Antes da chegada dos mouros não havia mais que pagãos, os quais não se preocupavam com as árvores de cravos. Ainda se encontra algumas famílias de pagãos que se retiraram para as montanhas, lugar muito conveniente para o desenvolvimento destas árvores.

Posição das Ilhas Molucas – A Ilha de Tadore está a 27' de latitude setentrional e a 161° de longitude da Linha de Demarcação. Dista 9° 30' de Zamal, primeira ilha deste arquipélago, a Sudoeste quarto Sul. A Ilha Tarenate está a 40' de latitude setentrional. Mutir está exatamente sob a linha equinocial. Machián está a 15' de latitude Sul. Bachián a 1° da mesma latitude. Tarenate, Tadore, Mutir e Bachián têm altas montanhas piramidais, onde crescem as árvores de cravo. Bachián, embora seja a maior das cinco ilhas, não é vista desde as outras. Suas montanhas também não são tão altas e tão pontiagudas como das demais ilhas. Porém sua base é mais larga.[46]

Notas:

1. Parte de Mindanao.
2. Rio que forma a baía de Chipit.
3. É a ilha de Mindanao, que nosso autor escreve Mingdanao. No mapa de Bellin, como no do manuscrito, se vê os portos de Chipit, Butuan e Calagan. Estende-se além de Bohol e limita sua ponta setentrional com Massana.
4. Luzón ou Manila.
5. Na lâmina III de Ramusio se lê ao Oeste de Luzón (que escreve Pozón): *Canali donde vengono gli Lequii*.
6. Na lâmina III de Urbano Monti, a ilha de Cagayán, rodeada de ilhotas, está marcada na mesma direção.
7. Nos mapas antigos, Palaoán está a Noroeste de Manila; por conseguinte, esta ilha não se encontrava na rota de nosso viajante, porque Manila está a nordeste de Cagayán. Nesta rota se encontra a ilha de Paragua ou Paragoia, que ele confundiu com Palaoán. No mapa adjunto de Macartney se lê próximo desta ilha *Palawan* ou *Paragua*, o que prova que Palaoán e Paragua ou Paragoia não são mais que o mesmo nome, ou dois nomes diferentes da mesma ilha.

8. Parece exagerado o número. Atualmente não há mais que duas ou três mil casas (*Hist. gén. des voyages*, tomo XV, p. 138.).

9. Laoe não é uma cidade, mas uma pequena ilha, situada próximo da ponta meridional de Bornéu. Pigafetta, como não esteve lá, compreendeu mal, por certo, o que lhe disseram a respeito.

10. Os portugueses introduziram ali o cristianismo, que se manteve até 1590. (SONNERAT, loc. cit., onde diz também que os mouros forçaram os pagãos a abandonar a zona da praia e fugir para as montanhas.)

11. O *pici*, que hoje chamam *pecia*, é a menor moeda das Índias Orientais.

12. É o balancim. O texto não diz que os bambus ultrapassavam as bordas do junco, mas é preciso acreditar que assim fosse, posto que nosso autor disse que serviam de contrapeso.

13. Nesta latitude está a ponta setentrional de Bornéu. A longitude não é exata como se pode ver no mapa. Pigafetta teve o cuidado de assinalar no desenho da ilha de Bornéu sua viagem de cinquenta léguas da ponta setentrional à ponta meridional da ilha. Não falou dos outros países e deu à ilha a forma triangular, colocando as cidades sobre a baía.

14. Hoje Balaba.

15. É a babirussa, espécie de porco selvagem que sabe nadar e cujo focinho alongado está armado com longas presas. (Veja-se a descrição deste animal em *Voyage par le Cap de Bonne-Espérance et Batavia à Samarang, à Macassar, à Amboine et à Surate*, por Stavorinus, tomo I, p. 254, onde também está desenhado.)

16. Outros viajantes viram folhas semelhantes e as examinaram melhor. Alguns acreditavam que as folhas se moviam devido a algum inseto nelas incrustado.(*Hist. gén. des voyages*, tomo XV, pág 58); outros notaram que não são folhas, mas uma classe de gafanhotos, cobertos com quatro asas de forma oval e cerca de três polegadas de comprimento. As asas superiores são dispostas de tal maneira que mais parece uma folha escura, cheia de fibras (STEDMAN, *Voyage à Surinan*, tomo II, p. 261.).

17. Stedman, quase na mesma latitude, encontrou o oceano Atlântico coberto de ervas (Tomo III, p. 211.).

18. Bellin chamou de Joló e Cook de Sooloó.

19. Hoje Basilán.

20. Banayán, cabo setentrional da ilha do mesmo nome.

21. No mapa de Bellin não encontro mais que duas ilhas, uma das quais tem o nome de Saranga. Na nota sobre as 82 ilhas que em 1682 pertenciam ao rei de Terenate, aparece com o nome

de Sarangani (*Hist. gén. des voyages*, tomo XI, p. 17, edição holandesa). Esta ilha tem um excelente ponto de atracação para provisionar os navios.

22. As ilhas aqui mencionadas pertencem ao grupo em que os geógrafos modernos situam a Kararotán, Linop e Cabrocana, depois das quais se encontra Sanghir, que é a ilha muito bela de que fala o autor. A Sul-sudoeste desta ilha há muitas ilhotas, das quais Pigafetta fala mais adiante. Cabiou, Cabalousu, Limpang e Noussa figuram na nota sobre as ilhas que em 1682 pertenciam ao rei de Terenate.

23. No atlas de Robert há aqui muitas ilhotas e entre elas Regalarda e Ciau ou Siau. Sonnerat fala também desta última. Na nota das ilhas do rei de Terenate se lê Karkitang, Pará, Sangalouan e Siau.

24. Paghinzara, Talaut e Mahono estão na dita nota.

25. Zoar e Meán estão no lugar em que Robert situou a Sarambal e Meyán.

26. Hoje Timor.

27. Hoje Terenate.

28. Acreditava-se que estas árvores só cresciam exclusivamente nestas cinco ilhas, chamadas Molucas. Porém, em seguida foram encontradas em muitas outras, às quais, por esta razão, se estendeu também o nome de Molucas. Desta maneira, por Molucas se entende todas as ilhas que se encontram entre as Filipinas e Java. Os holandeses, para ter o comércio exclusivo dos cravos de espécie, trataram de destruir, pela força ou pela astúcia, todas as árvores deste gênero. Porém, não conseguiram. Depois da revolução francesa houve muitas mudanças no Mar do Sul. Pigafetta desenhou as Molucas e junto delas uma árvore de cravos.

29. O tostão valia meio ducado e o ducado um sequi.

30. Quando Brito foi enviado como governador às Molucas em 1511, o rei Abuleis reinava em Terenate com o nome de rajá Beglid.

31. Isto é, um *mufti*.

32. Guzzerate era um reino dos índios submetidos ao rei de Cambaya, de que fala Barbosa, companheiro de Pigafetta (Veja-se RAMUSIO, tomo I, p. 295).

33. Observou-se que muitas ilhas do Mar do Sul são vulcânicas, por conseguinte, esta água quente é simplesmente uma água termal e não uma água aquecida pelas árvores de cravo.

34. Cabo setentrional do Rio da Prata.

35. BOISMELÉ, *Histoire de la marine*, diz que López de Sichera foi às Índias em 1518.

36. Depois Idda, no Mar Vermelho, porto utilizado para o comércio de Meca. Isto se refere à malfadada expedição que Solimão, o Magnífico, empreendeu, por instigação dos venezianos, contra os estabelecimentos portugueses nas Índias, para atrair para o Mar Vermelho o comércio que fora anulado pela navegação dos portugueses através do Cabo da Boa Esperança. Os venezianos lhes proporcionaram para isto madeira de construção e armas (ROBERTSON, *Disquis. on ant. India*, sect. III).

37. Gilolo.

38. Os holandeses comprovaram que a árvore do cravo cresce muito bem nos terrenos baixos.

39. *Myristica officinalis,* de Linneo.

40. Refere-se ao antigo traje espanhol.

41. O cavalheiro Pigafetta foi talvez o primeiro a mostrar aos europeus que a Ave do Paraíso (*Avis paradisiaca*, de Linneo) tem patas como as outras aves. Estavam tão convencidos de que não tinham patas (porque todos que as empanavam para vender as cortavam) que o grande naturalista Aldrovando (*De Avibus*, tomo I, p. 807) afronta nosso autor quando este as descreve com patas.

42. Pode acontecer isto que o autor conta. Os cabelos flutuantes poderiam ser atraídos pela água que entrava no barco, em direção ao vazamento. O sistema agora consiste em colocar estopas em uma vara que passa sob o barco. Esta estopa é arrastada pela água no local do vazamento.

43. É Yucatán, na América, próximo ao Golfo do México, onde está o istmo de Darién. Contudo, o navio permaneceu em Timor e foi apresado pelos portugueses (*Hist. gén. des voyages*, tomo XIV, p. 99).

44. Espécie de abacaxi.

45. Goiaba, fruto da goiabeira (*Psidium pyriferum,* de Linneo).

46. Laboán ou Labocca, considerada hoje como formando parte de Bachián.

Livro Quarto

Brasão de Juan Sebastian del Cano.
Na faixa em torno do globo está escrito:
"Primeiro a me circunavegar".

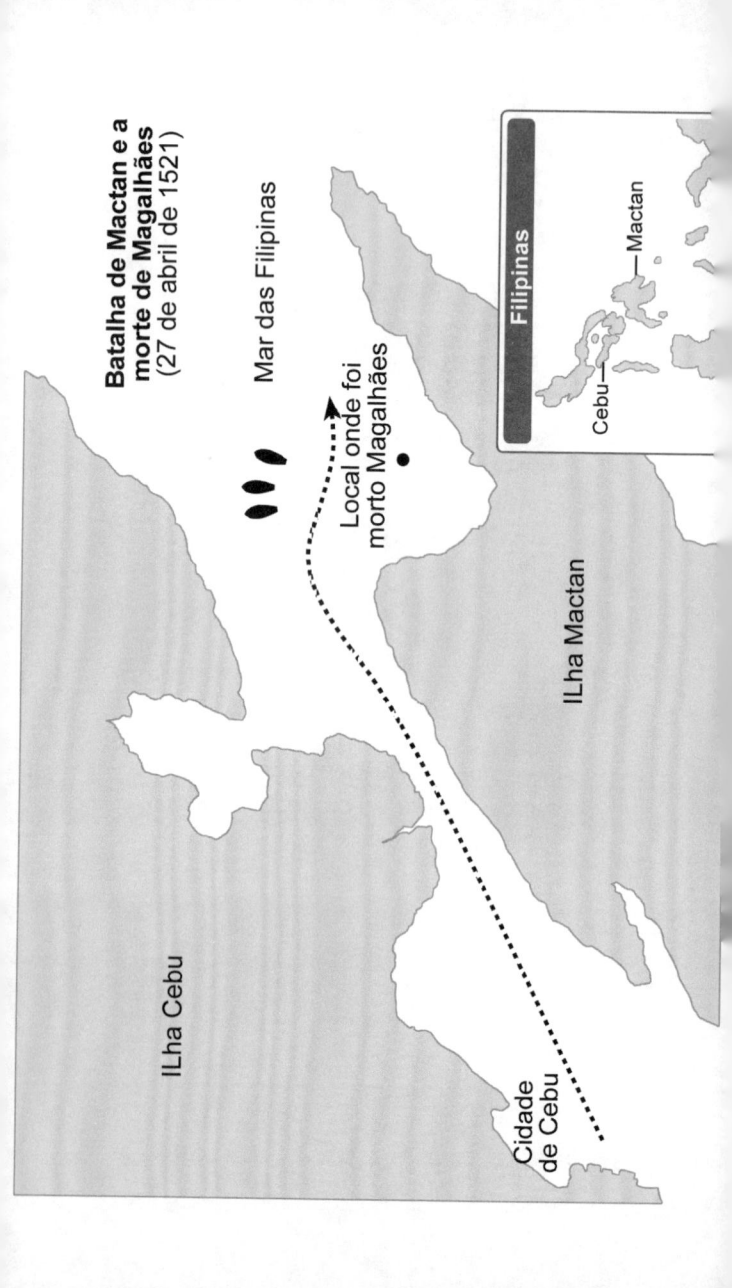

Batalha de Mactan e a morte de Magalhães
(27 de abril de 1521)

Mar das Filipinas

Local onde foi morto Magalhães

ILha Cebu

Cidade de Cebu

ILha Mactan

Filipinas
Cebu — Mactan

Regresso à Espanha desde as Ilhas Molucas

DEZEMBRO DE 1521 – **Muitas ilhas. Os pigmeus de Cafi** – Continuamos nossa rota passando por muitas ilhas, chamadas: Cayoán, Laigoma, Sico, Giorgi, Cafi, Laboán, Tolimán, Titameti, Bachián,[1] Lalatala, Jaboli, Mata e Batutiga. Nos disseram que os homens da Ilha de Cafi são pequenos como os pigmeus e estão submetidos ao rei de Tadore. Passamos a Oeste de Batutiga e tomamos o rumo Oeste-Sudoeste. Ao Sul vimos muitas ilhas. Os guias molucanos nos aconselharam a ancorar durante a noite para não batermos nas ilhotas e arrecifes. Navegamos para Sudoeste e ancoramos junto a uma ilha que está a 3º de latitude Sul e a 53 léguas de Tadore.

Antropófagos – Esta ilha se chama Sulach.[2] Seus habitantes são pagãos e não têm rei. São antropófagos e tanto homens como mulheres andam nus, com não mais que um pedacinho de tecido de árvore de dois dedos de largura diante de suas partes naturais. Perto dela há outras ilhas cujos indígenas comem carne humana. Seus nomes: Silán, Noselao, Biga, Atulabaón, Leitimor, Tenetum, Gonda, Kayalruru, Manadán e Benaya.[3] Costeamos as ilhas de Lamatola e Tenetum.

Depois de percorrer dez léguas desde Lulach, sempre na mesma direção, ancoramos junto a uma ilha grande chamada Buru, onde encontramos víveres em abundância: porcos, cabras, galinhas, canas-de-açúcar, nozes de coco, sagu, uns pratos compostos de banana e *chicares*,[4] que são frutos parecidos com a melancia, porém têm a casca cheia de nódulos; por dentro são cheios de sementinhas vermelhas parecidas com as de melão, muito tenras e com sabor de castanha.

Comilicai – Encontramos outro fruto em forma de pinha, porém de cor amarela por fora e branca por dentro, que ao ser cortado tem muita semelhança com a pêra. Só que é mais tenro e tem um sabor esquisito. É chamado de *comilicai*.

Os habitantes desta ilha não têm rei, são pagãos e andam nus como os de Sulach. A ilha de Buru está a 3º 30' de latitude meridional e a sessenta e cinco léguas de distância das Ilhas Molucas.[5]

Ambón – A dez léguas a Oeste de Buru há uma outra ilha que limita com Giailolo. Chama-se Ambón e está habitada por mouros na costa e por pagãos antropófagos no interior. Os produtos são os mesmos de Buru.

Entre Buru e Ambón há três ilhas rodeadas de arrecifes: Vudia, Kailaruru e Benaya[6] e a quatro léguas ao Sul de Buru está a ilha de Ambalao.[7]

A trinta e cinco léguas de Buru, a Sudoeste quarto Sul, se encontra a ilha de Bandán e mais outras treze. Em seis delas há milho e noz moscada. A maior é Zoroboa, e as pequenas Chelicel, Saniananpi, Pulai, Puluru e Rasoghin.[8] As outras sete são: Univeru, Pulán, Baracán, Lailaca, Mamicán, Man e Meut. Cultivam sagu, arroz, coco, banana e outras árvores frutíferas. São muito próximas umas das outras e habitadas por mouros que não têm rei. Bandán está a 6º de latitude meridional e a 163º 30' de longitude da Linha de Demarcação. Estava fora de nossa rota e por isso não fomos até lá.

Solor, Nocenamor e Galián – Desde Buru, a Sudoeste quarto Oeste, depois de percorrer 8º de latitude, chegamos a três ilhas próximas umas das outras: Solor, Nocenamor e Galián.

10 DE JANEIRO DE 1522 – **Tempestade** – Enquanto navegávamos por estas ilhas enfrentamos uma tempestade que colocou em perigo nossas vidas e fizemos a promessa de ir em peregrinação a Nossa Senhora da Guarda se nos salvássemos. *Mallua* – Com o vento pela popa, navegamos até a ilha de Mallua, bastante elevada, onde ancoramos. Antes de chegar, porém, tivemos que lutar contra as correntes e as rajadas que sopravam desde as montanhas.

Usos e costumes de seus habitantes – Os indígenas desta ilha são selvagens e antropófagos, parecendo-se mais a bestas do que com homens. Como os demais, andam nus, com apenas um pequeno tecido de árvore cobrindo suas partes sexuais, porém, quando vão combater cobrem o tronco com peles de búfalo, adornadas com dente de porco e rabos de cabras. Usam os cabelos levantados sobre a cabeça por meio de uma espécie de pente de bambu, com longos dentes, que passam de lado a lado. Uma de suas modas que nos fez rir muito é referente à sua barba, que envolvem em folhas e prendem em estojos de bambu. Em resumo, são os homens mais feios que encontramos em nossa viagem.

Eles fazem sacos de folhas de árvores, onde guardam sua comida e sua bebida. Seus arcos e flechas são feitos de bambu. Enquanto olhávamos suas mulheres, avançaram contra nós, com o arco na mão, em atitude ameaçadora, porém, com alguns presentinhos, logo nos fizemos amigos.

Animais e produtos – Passamos quinze dias nesta ilha para reparar o casco de nosso navio, que havia sofrido muito. Ali encontramos cabras, galinhas, peixes, nozes de coco, cera e pimenta. Por uma libra de ferro velho nos deram quinze libras de cera.

Pimenta – Há dois tipos de pimenta: uma comprida e outra redonda. O fruto da primeira se assemelha às flores de avelã e sua planta, como a da trepadeira, se enlaça aos troncos de árvores, e suas folhas se parecem com as da amoreira. Chamam-na *luli*. A redonda cresce da mesma maneira, porém seus frutos nascem em maçarocas ou espigas como o milho. Chama-se *lada*. Os campos estão cobertos de pimenteiros, formando abóbodas.

Tomamos os serviços de um homem em Mallua que se encarregou de nos conduzir a uma ilha onde abundavam muitos víveres. Mallua está a 8º 30' de latitude meridional e a 169º de longitude da Linha de Demarcação.

Arucheto – Pigmeus – Nosso piloto contou-nos que por estas paragens há uma ilha, chamada Arucheto, cujos habitantes, homens e mulheres, não ultrapassam a altura de nossos cotovelos e possuem orelhas mais longas que todo o corpo, de modo que, quando se deitam, uma serve de colchão e a outra de cobertor. Andam nus e com os cabelos raspados, têm voz rouca, correm agilmente, habitam subterrâneos e se alimentam de peixes e de uma classe de fruto branco e redondo como confeitos, que encontram entre a casca e a madeira de certa árvore, o qual chamam *ambulón*.[9] Tínhamos muita vontade de ir até essa ilha, mas os rochedos e as correntes nos impediram.

25 E 26 DE JANEIRO DE 1522 – **Conseguimos víveres** – No sábado, 25 de janeiro, às vinte e duas horas, partimos de Mallua e, depois de navegar cinco léguas a Sul-Sudoeste, chegamos à grande ilha de Timor. Fui a terra para tratar com o chefe da população, chamado Amabán, para obter alguns víveres. Ele me ofereceu búfalos, porcos e cabras, porém, ao fixar as mercadorias que daríamos em troca não houve acordo, porque ele queria muito e nós já tínhamos muito pouca coisa que dar. Tomamos a resolução de reter no navio a outro chefe, chamado Balibo, que de boa-fé havia subido a bordo. *Uso da força* – Dissemo-lhe que se quisesse recobrar a liberdade, deveria dar-nos seis búfalos, dez porcos e outras tantas cabras. Temendo que o matássemos, ordenou que levassem imediatamente o

que pedíamos. Porém, como não possuía mais que cinco cabras e dois porcos, nos deu sete búfalos em vez de seis. Então o enviamos a terra e saiu muito contente conosco, porque ainda lhe demos de presente um tecido de seda da Índia, outro de algodão e várias facas e machados, tanto europeus como tomados aos índios, além de alguns espelhos.

Usos e costumes – O chefe de Amabán, em cuja casa estive, tinha a seu serviço somente mulheres, que andavam nuas como as das outras ilhas. Levavam nas orelhas brincos de ouro com pendentes de seda e nos braços enormes braceletes de ouro e de latão, que iam até o cotovelo. Os homens, também nus, usavam colares de chapas arredondadas de ouro e prendiam o cabelo com pentes de bambu e aros de ouro. Alguns usavam brincos nas orelhas.

Sândalo branco e outros produtos – O sândalo branco só é encontrado nesta ilha, onde também há búfalos, porcos, cabras, papagaios de diferentes cores, arroz, bananas, gengibre, cana-de-açúcar, laranja, limão, amêndoas, feijão e cera.

Cidades – Ancoramos em um lugar em que havia algumas cidades habitadas com seus chefes. Em outra parte da ilha, em quatro povoados, chamados Oibich (que é maior), Lichsana, Suai e Cabanaza, viviam os quatro reis, que eram irmãos. Nos disseram que em uma montanha próxima, a Cabanaza, havia muito ouro, com cujos grãos os indígenas compram o que necessitam. Os habitantes de Malaca e Java fazem aqui todo o comércio de madeira de sândalo e cera. Encontramos um junco que chegou de Lozón para comerciar.

Usos e crenças – Estes povos são pagãos. Nos disseram que quando vão cortar o sândalo, o demônio lhes aparece sob diferentes formas e lhes pergunta cortesmente se necessitam de algo. Apesar desta cortesia, sua aparição lhes faz tanto medo que caem enfermos durante alguns dias.

Cortam o sândalo em certas fases da Lua para que seja maior.
Comércio – As mercadorias apropriadas para trocar pelo sândalo são: tecido vermelho, machados, pregos e ferro.

A ilha, completamente habitada, se estende de Leste para Oeste, porém é muito estreita de Norte a Sul. Está a 10° de latitude meridional e 174° 30' de longitude da Linha de Demarcação.

Mal de Job – Em todas as ilhas deste arquipélago que visitamos reina o Mal de Job e, sobretudo aqui, onde o chamam *for franchi,* isto é, doença portuguesa.[10]

Ilhas próximas a Timor – Nos informaram que à distância de uma jornada a Oeste-Noroeste de Timor está a ilha Ende, onde há muita canela. É habitada por pagãos e não tem rei. Perto, se estende uma cadeia de ilhas até Java Maior e o Cabo de Malaca. Chamam-se Ende, Tanabutón, Crenochile, Birmacore, Azanarán, Main, Zubava, Lumboch, Chorum e Java Maior, que os indígenas chamam Jaoa.

As maiores populações desta área estão em Java e a principal é Magepaher, cujo rei, rajá Patiunus Sunda, quando vivia, se considerava o maior monarca das ilhas existentes nestas paragens. Ali se colhe muita pimenta. As demais ilhas da área são: Dahadama, Gagiamada, Minutarangan, Ciparafidain, Tubancressi e Cirubaya. A meia légua de Java Maior estão as ilhas Bali, ou Java Menor, e Madura, ambas com a mesma extensão.

Costumes de Java. Queimam as mulheres com os cadáveres de seus maridos – Nos disseram que é costume em Java queimar o corpo das personalidades que morrem e que a sua mulher favorita é queimada viva na mesma fogueira. Primeiro a adornam com grinaldas de flores e depois a colocam em uma cadeira de mão que é conduzida pela cidade por quatro homens. Com aspecto tranquilo, sorrindo, anima seus parentes que choram o seu próximo fim, dizendo-lhes: "Esta noite vou cear com meu marido e depois me deitarei com ele". Junto à fogueira, volta a consolar os parentes com frases parecidas e se joga nas chamas, que a devoram. Caso se recusasse a fazê-lo, seria vista como uma mulher desonesta e má esposa.

Guizos no prepúcio – Nosso velho piloto nos contou um costume ainda mais estranho: quando os jovens se enamoram de alguma mulher e pretendem seus favores, atam guizos entre a glande e o prepúcio e vão até a janela de sua amada, a qual excitam com o tilintar dos guizos. E esta exige que não seja tirado o guizo.

Ilha habitada por mulheres – Também nos contaram que a ilha Ocolara, abaixo de Java, é habitada exclusivamente por mulheres. Estas são fecundadas pelo vento e quando nasce o bebê, se é macho, matam imediatamente, se é fêmea, a criam. E matam todo o homem que se atrever visitar sua ilha.

História fabulosa de aves colossais e uma árvore gigantesca – Nos contaram outras histórias. Ao norte de Java Maior, no Golfo da China, que os antigos chamaram *Sinus Magnus*, há, segundo dizem, uma árvore enorme, chamada *campanganghi*, onde pousam certas aves chamadas *guruda*, que são tão grandes e tão fortes que podem elevar um búfalo e até um elefante. O fruto da árvore, a que chamam *buapanganghi*, é maior que uma melancia. Os mouros de Bornéu nos disseram que haviam visto duas destas aves, que seu rei recebeu do reino de Ciam. Ninguém pode se aproximar destas árvores por causa dos torvelinhos que se formam em torno delas, até três ou quatro léguas. Acrescentaram que tudo o que contavam souberam do seguinte modo: um junco foi arrebatado por esses torvelinhos próximo da árvore onde naufragou. Todos os homens morreram, exceto um menino que se salvou milagrosamente sobre uma tábua. Este engatinhou até uma destas árvores, onde se ocultou debaixo da asa de uma destas colossais aves, sem que ela o notasse. Na manhã seguinte, a ave foi a terra buscar um búfalo e então o menino, de um salto, se salvou. Assim souberam a história das aves e de onde vinham os colossais frutos que frequentemente encontravam no mar.

FEVEREIRO DE 1522 – **Malaca. Aves. Camogia. Chiempa. Ruibarbo** – O Cabo de Malaca está a 1º 30'de latitude Sul. A Leste há muitas cidades e vilas, a saber: Cingapura, sobre o cabo do mesmo nome, Pahán, Calatán, Patani, Bradlini, Benán, Lagón, Cherigigharan, Trombón, Jorán, Ciu, Brabi, Banga, Judia, (redidência de Siri Zacabedera, rei de Ciam), Jandibun, Laún e Langonpifa. Todas construídas como as nossas e sujeitas ao rei de Ciam. Nos disseram que nas margens de um rio deste reino há grandes aves que se alimentam de coisas podres, e que não as comem sem que antes outras aves tenham devorado seu coração.

Mais adiante de Ciam está Camogia, cujo rei se chama Saret Zarabadera. Depois vem Chiempa e seu rei rajá Brahanu Martu. Neste país cresce o ruibarbo,[11] que é recolhido da seguinte maneira: um grupo de vinte ou vinte e cinco homens passa a noite nos bosques, trepado em árvores para fugir aos leões e outras feras e, ao mesmo tempo, para sentir melhor o cheiro do ruibarbo, levado pelo vento. Pela manhã se dirigem ao lugar de onde provinha o cheiro, até encontrar o ruibarbo, que é a madeira podre de uma grande árvore grossa, que adquire um cheiro forte com a sua putrefação. A melhor parte é a raiz, embora o tronco, chamado *calama*, tenha as mesmas virtudes medicinais.

Cocchi. China – Vem depois o reino de Cocchi, cujo rei se chama Siri Bummipala. Imediatamente vem a Grande China, cujo rei Santoa é o mais poderoso príncipe da terra. Dependem dele setenta reis coroados e, por sua vez, de cada um destes, outros dez ou quinze. O porto deste reino é Guantán,[12] e entre suas numerosas cidades, as mais importantes são Nanquim e Comlaha, na qual o rei reside.

Junto ao palácio estão os quatro principais ministros, nas quatro fachadas orientadas segundo os quatro pontos cardeais. Cada um dá audiências aos que provêm da respectiva parte.

Todos os reis e senhores da Índia Maior e Superior têm a obrigação de colocar, em sinal de dependência, no meio da praça, a estátua em mármore de um *chinga*, animal mais forte que o leão, que também está gravado no selo real. Todos os que querem entrar em seu porto devem levar sobre o navio a mesma figura em marfim ou cera. Se alguém entre os senhores de seu reino se negar a obedecer-lhe, é açoitado e sua pele é seca ao sol e depois salgada e molhada, sendo então colocado em lugar visível da praça, com a cabeça baixa e as mãos juntas sobre a cabeça, em atitude de *zongu*, isto é, de reverência ao rei. O rei nunca é visível para ninguém e quando quer ver alguém das suas relações, se faz levar sobre um pavão real feito com muita arte e ricamente adornado, acompanhado de seis mulheres vestidas exatamente como ele, de modo que não se consiga diferenciar entre eles e as mulheres. Em seguida se coloca dentro de uma serpente chamada *naoa*, soberbamente decorada, que tem um cristal no peito, pelo qual o rei vê sem ser visto. Casa-se com suas irmãs, para que o sangue real não se misture com o dos súditos. Seu palácio é rodeado por sete muralhas e em cada parte há diariamente dez mil homens de guarda, que se revezam a cada doze horas. Cada recinto tem uma porta e cada porta o seu guardião. Na primeira há um homem com um grande chicote na mão; na segunda, um cachorro; na terceira, um homem com uma maça de ferro; na quarta, outro com arco e flecha; na quinta, um com uma lança; na sexta, um leão, e na sétima dois elefantes brancos. O palácio tem setenta e nove salas, constantemente iluminadas por tochas e o serviço é feito todo por mulheres.

Precisa-se de um dia, pelo menos, para dar a volta por fora do palácio. No extremo do mesmo há quatro salas, onde os ministros falam com o rei. Na primeira, as paredes, o teto e o piso são adornados com bronze; a segunda é adornada com prata; a terceira, com ouro, e a quarta, com pérolas e pedras preciosas. Nelas estão guardados todo o ouro e todas as riquezas presenteadas ao rei.

Eu não vi nada do que acabo de contar; escrevi estes detalhes simplesmente baseado no relato de um mouro, que me assegurou ter visto isto tudo. Os chineses são brancos, andam vestidos e usam mesas como nós para comer. Em suas casas se veem cruzes, porém ignoro o uso que fazem delas.

Almíscar – Da China vem o almíscar e quem o produz é o castor, que se alimenta de uma árvore doce, da grossura de um dedo, chamada *chamaru*. Para se extrair o almíscar deste animal se aplica uma *linta* ou sanguessuga, que se amassa quando está repleta de sangue, o qual é recolhido em um prato e levado ao sol para secar, durante quatro ou cinco dias. Os grãos de almíscar que levam para a Europa não são mais que pedacinhos de carne de cabrito molhados no verdadeiro almíscar. O sangue sai algumas vezes em coágulos, mas se liquefaz facilmente. Todos os que criam castor estão obrigados a pagar tributo.

Seguindo a costa da China, encontra-se muitos povos, a saber: os *chiencis*, que habitam as ilhas em que se pescam as pérolas e onde também há canela; os *lecchiis*, que habitam a terra firme próxima a estas ilhas. A entrada de seu porto está atravessada por uma grande montanha responsável pela destruição de muitos juncos e navios que ali tentaram entrar. O rei deste país se chama Moni e obedece ao rei da China, mas tem outros vinte e cinco reis sob sua obediência.

Catai – Sua capital é Baranaci, onde está Catai Oriental.

Han – Han é uma outra ilha, alta e fria, onde há cobre, prata e seda. Seu rei é o rajá Zotru. Mili, Jaula e Gnio são três países muito frios do continente. Friagonla e Frianga são duas ilhas onde há cobre, prata, pérolas e seda. Bassi é uma terra baixa do continente. Sumbdit-Pradit é uma ilha riquíssima em ouro, onde os homens levam uma grossa argola deste metal no tornozelo. Nas montanhas vizinhas habitam povos que matam os pais quando estes chegam a uma certa idade, para evitar-lhe os males da velhice. Todos os povos citados são pagãos.

11 DE FEVEREIRO DE 1522 – **Saída de Timor** – Na terça-feira, 11 de fevereiro, à noite, saímos da Ilha Timor e entramos no grande mar chamado *Laut-Chidol*. Com rumo Oeste-Sudoeste, por medo dos portugueses que poderíamos encontrar a Norte, deixamos à direita a ilha de Sumatra, chamada antigamente de Taprobane. Igualmente, foram ficando Pegu, Bengala, Urizza, Chelim, na qual vivem tanto os malaios, súditos do rei de Narsinga, como os de Calicut. Vem ainda Cambaya, habitada pelos guzzerates, Canamor, Goa, Armus e toda a costa da Índia Maior.

Neste reino há seis classes de pessoas: *nari, panicali, franaí, pangelini, macuai e poleai*. Os *nairi* são os principais ou chefes; os *panicali* são os cidadãos. Estas duas classes convivem juntas. Os *franai* colhem o vinho de palmeira e as bananas. Os *macuai* são pescadores. Os *pangelini* são marinheiros e os *poleai* semeiam e colhem arroz.[13] Estes últimos habitam sempre os campos e não entram nunca nas cidades. Quando se quer dar-lhes alguma coisa, se atira ao solo e eles recolhem. Quando andam pelos caminhos, vão gritando continuamente: *po, po, po,* isto é, *cuidado*. Nos contaram que um *nairi*, que casualmente tocou um *poleai*, se matou para não sobreviver a tão grande infâmia.

ABRIL DE 1522 – **Cabo da Boa Esperança** – Para dobrar o Cabo da Boa Esperança nos elevamos até os 42° de latitude sul e tivemos que permanecer nove semanas em frente a este cabo, com as velas recolhidas, por causa dos ventos do Oeste e do Noroeste que tivemos constantemente e que acabaram numa horrível tempestade. O Cabo da Boa Esperança está a 34º 31'de latitude meridional, a mil e seiscentas léguas do Cabo de Malaca. É o maior e mais perigoso cabo conhecido da Terra.

Projeto de parar em Moçambique – Alguns de nós e sobretudo os enfermos pretendiam descer em Moçambique, onde há um estabelecimento português, porque o barco tinha infiltração de água, o frio nos castigava muito e, sobretudo, como bebida tínhamos apenas água e como alimento apenas arroz, visto que toda a carne apodreceu por não termos sal para conservá-la. Contudo, a maior parte da tripulação, escrava mais da honra do que da própria vida, decidiu fazer um esforço supremo e retornar à Espanha, qualquer que fosse o perigo que tivéssemos que enfrentar.

6 DE MAIO DE 1522 – **Passagem do cabo** – Finalmente, com a ajuda de Deus, dobramos o terrível cabo. Mas tivemos que nos aproximar dele a uma distância de cinco léguas, sem o que nunca o teríamos ultrapassado.

JUNHO DE 1522 – **Observações sobre os cadáveres** – Navegamos em seguida para Noroeste, durante dois meses inteiros, sem descanso, e neste intervalo perdemos 22 homens, entre cristãos e índios. Fizemos uma observação curiosa ao atirá-los ao mar: os cadáveres dos cristãos caíam sempre de rosto para o céu e os dos índios de boca para baixo, de rosto para o mar.

9 DE JULHO DE 1522 – **Ilhas de Cabo Verde** – Carecíamos completamente de víveres e se o céu não nos tivesse concedido tempo bom, teríamos morrido todos de fome. Na quarta-feira, 9 de julho, descobrimos as Ilhas de Cabo Verde e ancoramos na que chamam Santiago.

Mentimos para não sermos presos – Como sabíamos que ali estávamos em terras inimigas e que suspeitariam de nós, tivemos a precaução de preparar uma boa desculpa a ser dada pelos que iriam à terra nas chalupas, em busca de víveres. Disseram que recorremos a este porto porque nosso mastro de trinquete se rompeu ao passar a linha equinocial, o que fez perdermos muito tempo em consertá-lo, tendo o capitão seguido sua rota para a Espanha com os outros navios. Falamos de maneira tão convincente que acreditaram de boa-fé que vínhamos das costas da América e não do Cabo da Boa Esperança. Duas vezes recebemos a chalupa cheia de arroz em troca de nossas mercadorias.

Nos demos conta de ter ganho um dia – Para ver se nossos diários estavam exatos, perguntamos em terra que dia da semana era. Nos responderam que era quinta-feira, o que nos surpreendeu, porque segundo nossos diários estávamos na quarta-feira. Não podíamos aceitar que tivéssemos nos equivocado em um dia, e eu, mais que ninguém, porque, sem interrupção e com muito cuidado, marquei em meu diário todos os dias da semana e a data do mês. Percebemos logo que não era errôneo nosso cálculo, pois tendo navegado sempre para Oeste, seguindo o curso do sol, ao retornar ao mesmo lugar teríamos que ganhar 24 horas sobre os que permaneceram quietos no lugar. Basta reflexionar para convencer-se.

Chalupa detida com treze homens – A chalupa voltou a terra para carregar pela terceira vez e, como tardava, nos demos conta que a haviam retido. Suspeitando das manobras de algumas caravelas que pretendiam prender também o navio, decidimos erguer as velas imediatamente.

Continuamos a viagem – Soubemos que se apoderaram da chalupa porque um dos marinheiros revelou nosso segredo, dizendo-lhes que o capitão-geral havia morrido e que nosso navio era o único da esquadra de Magalhães que voltava à Europa.

6 DE SETEMBRO 1522 – **Chegamos com dezoito homens a Sanlúcar** – Graças à providência, entramos no

sábado, 6 de setembro, na baía de Sanlúcar, e de sessenta homens que compunham a tripulação quando saímos das Ilhas Molucas, não restávamos mais que dezoito, a maior parte doente. Os demais, uns escaparam na Ilha de Timor, outros foram condenados à morte por crimes que cometeram e outros, enfim, morreram de fome.

Longitude da viagem – Desde nossa saída da baía de Sanlúcar até o regresso, calculamos que percorremos mais de 14.460 léguas, dando a volta completa ao mundo, navegando sempre do Leste para o Oeste.

8 E 9 DE SETEMBRO DE 1522 – **Chegada a Sevilha** – Na segunda-feira, 8 de setembro, ancoramos junto aos molhes de Sevilha e disparamos toda a artilharia.

Na terça-feira, saltamos todos a terra, em camisa e descalços, com uma vela na mão e fomos à igreja de Nossa Senhora da Vitória e à de Santa Maria de Antigua, como havíamos prometido nos momentos de angústia.

De Sevilha fui a Valladolid, onde presenteei à sacra majestade de D. Carlos V, nem ouro nem prata, mas algo bem mais grato a seus olhos. Ofereci-lhe, entre outras coisas, um livro escrito de minha mão em que, dia por dia, assinalei tudo o que aconteceu em nossa viagem.

Deixei Valladolid o mais rápido possível e cheguei a Portugal para relatar ao rei D. João o que havia visto. Voltei à Espanha e passei em seguida para a França, onde presenteei com coisas do outro hemisfério a regente, mãe do cristianíssimo Francisco I.

Regressei por fim à Itália, onde me consagrei para sempre ao excelentíssimo e ilustríssimo senhor Felipe de Villers L'Isle-Adam, grão-mestre de Rodes, a quem igualmente entreguei o relato de minha viagem.

Cavalheiro ANTONIO PIGAFETTA

Notas:

1. Bachián, uma das cinco principais Ilhas Molucas. Quase todas estas ilhas estão marcadas no mapa XVIII de Monti, que não explica com que dados as desenhou. Muitos dos nomes destas ilhas figuram na nota sobre os domínios do rei de Terenate.
2. Xulla, de Robert, e Xoula, dos mapas holandeses.
3. O autor, como escreveu os nomes com os dados que lhe forneciam os pilotos, é frequentemente inexato. Cita dez ilhas e não desenhou mais que seis. Quatro delas volta a mencionar mais adiante. Leytimor não é mais que uma península unida a Amboine.
4. Talvez a *Cucurbita verrucosa*, de Linneo.
5. Bougainville chama esta ilha de Böero e a coloca na mesma latitude. Em seu mapa XVII colocou Sulla, Böero, Kilang e Bonoa, que são: Sulach, Buru, Kailarur e Benaya de nosso autor.
6. No atlas de Robert veem-se aqui as ilhas de Menga, Kelam e Bone. No mapa dos holandeses (*Hist. gén. des voyages*, tomo XI) as de Manipa, Kelam e Bonoa.
7. Atualmente Amblau.
8. No mapa holandês: Guananapi, Puloay, Pulorhun e Rosingen.
9. É notável que já em Estrabão se lê esta fábula (*Georg.*, Lib. XV), o qual a copia de Megasteno, um dos capitães de Alexandre Magno. Ainda hoje estes ilhéus se divertem contando aos estrangeiros coisas maravilhosas. A Cook tentaram convencer que os moradores de uma determinada ilha eram tão grandes e fortes que poderiam transportar o seu navio.
10. Se o *mal de Job* era um vírus venéreo, segundo a opinião geral, o encontramos nas Molucas e nas Filipinas no começo do século XVI. E como o chamavam ali de *mal português*, somos levados a crer que foram os portugueses que o levaram. A verdade é que a palavra *franchi* servia para designar a todos os europeus. Também é verdade que só os portugueses haviam chegado até então às ilhas do Mar do Sul. Contudo, o *mal de Job* poderia ser mesmo a lepra, tão comum na Ásia.
11. A descrição que Pigafetta dá do ruibarbo está muito longe da exatidão. Tem-se que levar em conta, no entanto, que o autor dava estas informações com base em dados que recebia do mouro que viajava junto no navio. Fabre diz que não acredita no que foi dito.
12. Cantão.
13. Estas castas já existiam na Índia ao tempo de Alexandre e ainda continuam (ESTRABÃO, *Georg.*, lib. XV; DIODORO, lib. II; SONNERAT, *Voyage aux Indes*).

Vocabulários dos Povoados em que Cavalheiro Pigafetta fez Escala Durante a Viagem

É uma grande desvantagem, sem dúvida, para o homem que viaja por países longínquos não poder expressar seus desejos ou suas ideias, vendo-se obrigado a indicar o que sente por sinais, sempre insuficientes e com frequência equivocados. Para evitar este inconveniente, os navegantes têm procurado valer-se de intérpretes ou de um vocabulário dos povos que visitavam. Mas, quando não havia vocabulário, procuravam formar um.

Quando Magalhães concebeu o projeto de ir ao Mar do Sul pelo Oeste, sabia muito bem que Juan Carvajo, que passou quatro anos no Brasil, e seu escravo Enrique, natural de Sumatra, lhe ajudariam grandemente. Um, nas costas da América, e outro nas Índias. Porém, não tinha vocabulário para a parte mais meridional da América, nem para as ilhas dos Mares do Sul.

Este vocabulário não existia. O primeiro que resolveu compilar um foi o cavalheiro Pigafetta. Porém, parece que não pensou nisto até ter desembocado no Estreito de Magalhães, posto que do Brasil não relacionou mais que dez ou doze nomes. E, embora tenha passado muitos meses na Baía de San Julián, tampouco pensou em formar um vocabulário da linguagem da Patagônia. Só pensou nisto quando já navegava tranquilamente pelo mar do Pacífico, onde, talvez ocioso, passava o tempo perguntando ao patagão que levava a bordo o nome das coisas que via ou que se lembrava.

É provável que os espanhóis tivessem sido melhor recebidos nas Ilhas Marianas se tivessem conseguido dizer aos indígenas que suas intenções eram pacíficas e revelar-lhes o bem e o mal que podiam fazer-lhes. No barco de Magalhães havia um escravo de Sumatra, porém não falava mais que a língua malaia, o que não se entendia então, nem se entende agora, além das Ilhas Filipinas.* Pigafetta não conseguiu recolher nenhuma palavra das Ilhas Marianas.

Nas Filipinas sentiu mais de uma vez o desgosto de não entender a língua dos povos que as habitavam porque, embora o escravo Enrique tenha sido seu intérprete, nosso autor viu-se forçado a tratar sozinho com os indígenas por diversas vezes. Isto aconteceu várias vezes, até que o escravo os atraiçoou e os abandonou em Cebu. Pigafetta foi encarregado de tratar com o rei de Chipit, na ilha de Mindanao, depois com o rei de Bornéu e com todos os soberanos das ilhas onde ancoraram os espanhóis, particularmente com os reis das Molucas.

Desta maneira, Pigafetta compôs um vocabulário de 160 palavras em Cebu e outro de 450 nas Molucas. Por que Fabre, que deu todas as palavras brasileiras e quase todas dos patagões, não copiou nem uma só das Filipinas e apenas 46 das Molucas? Talvez para não se molestar, como ressaltou seu tradutor Ramusio.

Pigafetta colocou as palavras recolhidas ao fim da descrição dos países a que pertencem. No entanto, julguei mais conveniente reuni-las todas aqui, ao fim da viagem. Coloquei em duas colunas contíguas, as das Filipinas e

---

* O capitão Wilson o experimentou ao naufragar nas Ilhas Pelew, entre as Marianas e as Filipinas, em agosto de 1783. Seu intérprete, Tom Rose, que falava o malaio, não conseguiu fazer-se compreender, tendo recorrido a outro malaio, que lhe serviu de intérprete porque havia residido algum tempo em Pelew (*An account of the Pellew Islands*, por G. KEATE, p. 22).

as das Molucas, para se ver melhor a analogia. O autor as descreveu conforme as aprendia, mas pensou que era mais útil colocá-las por ordem de matérias, exceto os verbos, que quase não permitem esta distribuição. Se Pigafetta tivesse recolhido mais palavras brasileiras eu as teria colocado ao lado das patagãs, para que se notasse melhor a relação entre estas palavras e as relacionadas pelo padre Hervás.

Todos os que fixaram sua atenção sobre as línguas do Mar do Sul observaram que o mesmo idioma se encontra em quase todas as ilhas, ao menos nas que se estendem desde a Nova Zelândia até a Califórnia. E Forster, para provar esta afirmativa, nos ofereceu um quadro dos nomes que os habitantes das diferentes ilhas dão aos mesmos objetos. Nomes que se parecem e que, indubitavelmente, têm uma raiz comum.

Comparando este quadro com as notas de Pigafetta, se notará tal analogia e que não se poderá duvidar da verdade que ele disse relativamente a este assunto. Porém, para que se possa julgar mais sabiamente, acrescentarei às colunas de Pigafetta outras duas. Uma das palavras recolhidas por Forster e outra, das malaias, reunidas por David Haex para uso dos estabelecimentos holandeses.

Desta identidade ou analogia da linguagem, alguns escritores deduzem que estes povos têm uma origem comum e julgam que suas emigrações se deram da Ásia para o Oriente. Pigafetta acreditou que os reis das ilhas do Mar do Sul tinham estudado as línguas estrangeiras, porém se equivocou, sem dúvida, nesta conjetura, assim como em muitas outras, sempre que quis explicar fenômenos físicos.

Carlos Amoretti

Vocabulário Brasileiro

Rei	Cacich	Guizos	Hanmaraca
Bom	Tum	Tesoura	Pirame
Casa	Boi	Anzol	Pinda
Cama	Hamac	Barco	Canae
Pente	Chipag	Milho	Maiz
Faca	Tarse	Farinha	Hui

Vocabulário Patagão

Demônio (grande)	Setebos	Braço	Riaz
Demônio (peq.)	Cheleule	Axilas	Salischin
Noivo	Benibeni	Mão	Chene
Casado	Bebai	Dedo	Cori
Palma da mão	Canneghin	Jovem	Calemi
Guia	Anti	Pulso	Holion
Torto	Calischen	Cachorro	Holl
Cabeça	Her	Lobo	Ani
Olho	Oter	Ganso	Cache·
Sobrancelhas	Ochecel	Gralha	Cleo
Pálpebra	Sechesel	Peixe	Hoi
Nariz	Or	Ostra	Siameni
Fossas nasais	Oresche	Peito	Ochii
Boca	Chian	Coração	Tol
Lábios	Schiaine	Seios	Otón
Dentes	For	Corpo	Gechel
Partes do homem	Sachet	Língua	Scial
Queixo	Secheri	Negro	Oinel
Barba	Archiz	Amarelo	Peperi
Orelhas	Sane	Sol	Calexchem
Garganta	Ohumez	Estrelas	Settere
Pescoço	Scialeschiz	Fogo	Gialeme
Partes da mulher	Isse	Água	Holi

Costas	Pelles	Neve	Theu
Ânus	Schiaguem	Fumaça	Giache
Nádegas	Hoii	Mar	Aro
Testículos	Sachancos	Vento	Oni
Coxas	Chiave	Furacão	Ohone
Joelho	Tepin	Ouro	Pelpeli
Perna	Coss	Joia	Sechey
Tornozelo	Ti	Marmita	Aschame
Raiz que serve de pão	Capac	Calcanhar	Tire
Planta do pé	Caotschoni	Pano	Terechai
Cinturão	Cathechin	Cobrir	Tiam
Gorro	Aichel	Cozer	Irocoles
Vermelho	Faiche	Pedir	Gheglie
Tigela	Etlo	Rasgar	Gechare
Flecha	Seche	Comer	Mechiere
Ir	Rei	Cheirar	Os
Coito	Hor	Olhar	Conne
Combater	Ohomagse	Vir	Hai
Unha	Calmi		

Vocabulário das Ilhas do Mar do Sul

Português	Filipinas	Molucas	Malaca	Ilhas Vizinhas
Deus	Abba	Allá		
Mesquita		Meschit		
Sacerdote		Maulana	Lebe	
Devoto		Mussai		
Cerimônias		Zambaheam		
Cristão		Naceran		
Idólatra		Cafre		
Mouro		Islam	Isalam	
Turco		Rummo		

Português	Filipinas	Molucas	Malaca	Ilhas Vizinhas
Homem	Barán	Orán	Orang	
Mulher	Parampuán	Porompuán		Parampuán
Criança	Canacana			
Noivo	Ugan		Bongiang	Nongare
Casado	Sudababini			
Velho	Tua	Patua	Tuwa	
Pai	Bapa	Papa	Bappa	
Mãe		Mama, Ambui	Ibu	
Filho		Anach	Anac	
Irmão		Sandala	Sandara	
Avô		Nini	Nini	Buno
Sogro		Mintua	Mintuwa	Tometua
Genro		Minantu	Menanton	
Primo		Sopopa		
Discípulo		Lascar		
Amigo		Sandara	Canda	
Inimigo		Sanbat	Sobat	
Rei	Rajá	Rajá	Rajá	Ragiá
Reino		Putli	Putriz	Putri
Senhor		Tuán	Tuán	
Escravo		Alipin		
Escrivão		Chiritotes	Surat tulis	
Intérprete		Giorobaza	Jurebassa	
Alcoviteiro		Zoroan-pagnoro	Suroang	
Homem adornado	Pixao			
Grande	Bassal	Bassal	Besar	
Pequena		Chechil	Kilsgil	
Cabeça	Capala	Capalla	Tacupo	
Cabelos	Boho	Lambut	Rambut	Buc
Frente	Guai	Dai	Daia	
Olho	Matta	Matta	Mata	
Sobrancelhas	Chilei	Chilai		

Português	Filipinas	Molucas	Malaca	Ilhas Vizinh
Pálpebras	Pilac	Cenin		
Nariz	Ilón	Idón	Ilón	Edón, Idóng
Boca	Baba	Mulut	Mulut	
Lábios	Olol	Bebere	Bibir	
Dentes	Nipin	Gigi	Ghigi	Enichio
Gengivas	Leghex	Issi		
Língua	Dilla	Lada	Lida	
Linguagem		Baasa		
Palácio		Langhi		
Queixo	Silán	Agai	Dagou	
Barba	Bongot	Jangut	Jangut	Giangot
Bigodes		Missai		
Mandíbula	Apin	Pipi		
Orelha	Delengan	Talinga	Talinga	Telinga
Garganta	Lioch	Laer	Leher	
Pescoço	Tangip	Tundun	Tingio	
Costas	Baga	Diard	Bahow	Tua
Lombo	Malacan	Balacan		
Peito	Dugan	Dada	Dada	
Coração		Atti	At	Aotu
Seios		Sussu	Susu	
Umbigo	Pusut		Lusat	Pitu
Estômago		Parut		Paraca
Corpo	Tiam	Iundum		
Partes do homem	Utim	Boto		
Partes da mulher	Billat	Buthi		
Testículos	Boto		Boapelet	
Nádegas	Samput	Buri	Pantat	
Coxas	Pana	Taha	Paha	Pia
Joelhos	Tuhud	Lutut		
Pernas		Mina		
Osso da perna	Bassag	Tula		

Português	Filipinas	Molucas	Malaca	Ilhas Vizinhas
Barriga da perna	Bittis	Tilurcaci		
Tornozelo	Bolbol	Buculali		
Pé		Batis	Bitis	
Calcanhar	Tiochis	Tumi	Tumit	
Planta do pé	Lapalapa	Empacaque		
Unha	Coco	Cucu		
Axilas	Hot			
Braço	Bochen	Langan	Lingan	
Cotovelo	Sicu	Sicu	Sicon	
Mão	Chamat	Tangan	Sangan	
Palma da mão	Palari			
Dedo	Dudlo	Idun		
Polegar		Iduntangan	Iboutangan	
Indicador		Iduntungan		
Dedo médio	Idungeri			
Anular		Idunmani		
Minguinho		Iduncalinghim		
Sangue		Dara	Dara	Toto
Veia		Dovese	Urat	
Pulso	Molangai			
Pele		Culit		
Frio		Dinghim	Dingin	
Quente		Panas	Pannas	
Gordo		Gamut	Gomoc	
Fraco		Golos	Gutus	
Bom		Main	Maic	
Elefante		Gagia	Gagia	
Cavalo		Cuba	Cuda	
Búfalo		Carban	Carban	
Vaca		Lambu	Lembu	
Leão		Uriman		
Cervo		Roza	Roussa	
Porco	Babui	Babi	Babi	Babui

Português	Filipinas	Molucas	Malaca	Ilhas Vizinh.
Cabra	Candín	Cambim	Cambang	
Ovelha		Biri		
Cachorro		Cuin		
Lebre		Buaya		
Gato		Cochim, Putir		Contsing
Gato almis-queiro		Mozán		
Rato		Tiens	Tivo	
Animal do Almíscar		Castore	Casthouri	
Pássaro		Bolón	Bourong	Elo
Ganso		Itich	Itich	
Pato		Ansa	Ansa	
Galo		Sambungan		
Galinha	Monah	Acabatina	Ayam	Moa
Ovo	Silog	Talor	Telur	
Carne		Dagni	Daging	
Pez	Issida	Icán	Icán	Isda
Pez vermelho	Timuan			
Pez colorido	Panapsapun			
Caranguejo	Cubbán			
Carcoma	Capanlotos			
Pólipo	Calabutón			
Sanguessuga	Linta			
Serpente	Ullat			
Abelha	Aermadu			
Cera	Lelín		Lilling	
Mel		Gula		
Trigo	Dana	Gandun		
Painço	Humas			
Milho	Batat			
Trigo da Turquia	Mais			
Arroz	Barax	Bugax	Bras	
Torta de arroz	Tinapai			

Português	Filipinas	Molucas	Malaca	Ilhas Vizinhas
Nabo		Ubi		
Batata		Gumbili		Gomola
Coco	Lupi	Blazzao		
Cabaça	Baghin			
Melão		Antimon	Antimon	
Melancia		Labu	Labo	
Cana-de-açúcar	Tubo	Tubu	Tebu	Etu
Vinho	Nionipa			
Vinagre	Zeluca			
Azeite de coco		Mignach		
Azeite de gergelim		Lana-linga		
Laranja	Acfua			
Alho	Laxima			
Gengibre	Laya	Ahia	Ahia	
Ruibarbo		Calama		
Pimenta redonda	Manissa	Lada	Lada	Ava
Pimenta longa		Subi		
Noz moscada	Buapala			
Cravo de espécie	Chianche	Ghianche	Ginche	
Canela	Mana	Cainmana	Cayumanis	
Sal	Acin	Caransira	Garan	
Erva venenosa		Ipu		
Madeira		Comorin		
Doce		Manis		
Amargo		Azon		
Roupas	Abaya	Chebun		Chenises
Pano		Cain		
Seda		Sutra	Sutra	
Tecido	Baladan			

Português	Filipinas	Molucas	Malaca	Ilhas Vizinhas
Uma braça		Dapa		
Medida		Socat		
Véu	Gapas			
Gorro			Dastar	Distar
Camisa	Sabun	Bain		
Chapéu		Sundun		
Vermelho		Mira	Mera	
Preto		Itan	Itam	
Branco		Pute	Puti	
Verde		Igao	Igiu	
Amarelo		Cunin		
O mesmo	Siamasiama	Siamasiama		
Curto	Branco	Sandach	Pandach	
Igual		Casi-casi		
Vila		Naghiri	Negri	
Castelo		Cuta	Cotta	
Casa	Balai	Ruma	Ruma	Balai
Coxim	Uliman	Bantal	Bantal	
Esteira	Jaghican	Tical		
Marmita		Prin		
Prato de madeira	Dulam	Dulam	Dulang	
Prato de barro		Pingam	Pingon	
Cuba		Calimpan	Balunga	
Tigela	Taga	Manchu		
Porcelana	Mobulut			
Colher	Gandán	Sandoch	Sandoch	
Faca	Copol	Ficao	Pissau	
Tesoura	Catle	Guntim	Gonting	
Pente	Misamis	Sussri	Sisir	
Espelho		Chielamin	Gieremin	
Anel		Sinsin	Sintsing	
Joia		Premata	Permatta	
Pérola	Mutiara	Mutiara		

Português	Filipinas	Molucas	Malaca	Ilhas Vizinhas
Contas de vidro	Tacle	Manich		
Guizo	Colon-colon	Gringirin		
Abanador		Chipat		
Gaita de fole	Subin			
Tímbalo		Agon		
Agulha	Dagu	Talun	Giarong	
Fio		Pintal	Benang	
Martelo		Palme		
Prego		Pacu	Pacu	
Morteiro		Lozon		
Pilão		Atan	Antang	
Balança	Timban			
Peso	Tahil			
Cepo		Balangu	Barraga	
Forca	Boll			Carta
Surat	Surat			
Papel		Cartas	Chartas	
Pluma, pena	Calam	Calam		
Tinteiro		Padantam		
Anzol		Matacaine	Cail	Gayl
Corda		Trinda		
Seda		Cupia		
Isca		Umpan		
Rede	Pucatlaya			
Bambu	Bombón		Boulo	Bambu
Cana	Canagan			
Zarabatana		Simpitan		
Arco	Bossug	Boscon		
Flechas	Ogon	Damach		
Couraça	Baluti			
Broquel	Calassan			
Lança	Bancan			
Espada	Cálix	Padan	Bantang	Tao
Estilete	Campilan	Calix		

Português	Filipinas	Molucas	Malaca	Ilhas Vizinhas
Manga		Dagarian		
Mundo		Bumi	Bumi	
Fogo		Appi	Api	
Fumaça	Assu	Asap	Assap	
Cinza		Abu	Abu	Aldao
Água	Túbic	Tubi	Etanbang	Tubig
Sol	Adlo	Mutahari	Matahari	Intai
Lua	Sangot	Bulan	Bulai	Bulan
Estrelas	Bantar	Bintam	Bintang	
Chuva		Unjau	Ugiang	
Trovão		Guntur	Gontor	
Rio	Tari	Songai	Songhei	
Ano		Tan	Tawon	
Mês		Bullan		
Dia		Alli	Hari	
Aurora	Mene			
Manhã	Verna	Patan-patan		
Tarde		Mallamani		
Ontem		Calamari	Calamarin	
Anteontem		Lirza		
Meio-dia		Tambahalli	Tangahari	
Noite		Mallan	Malan	
Mar		Laut	Laut	
Porto		Labuan		
Terra firme		Buchit		
Ilha		Polan	Polon	
Montanha		Gonun	Gunung	Hurugan
Barcos grandes	Balangai			
Barcos pequenos	Baroto	Parao		
Navio	Benaoa	Capal	Capal	
Galera		Gurap		
Lancha, bote	Sampan		Sampac	

Português	Filipinas	Molucas	Malaca	Ilhas Vizinhas
Popa		Biritan	Boritan	
Proa		Allon		
Mastro		Tiang	Tiang	
Cesto	Simbulaya			
Vara		Layan		
Vela		Leyer	Layar	Evier
Remo		Darin	Dayong	
Âncora		Sau	Sau	
Cabo		Danda		
Bandeira		Tongol		
Bombarda		Badil		
Vento		Anghin	Angin	
Norte		Trapa		
Sul		Salatán	Salatán	
Este		Timor	Timor	
Oeste		Baratapap	Barat	
Nordeste		Utara		
Sudoeste		Berdaya		
Noroeste		Bardant		
Sudeste		Tungara		
Ouro	Baloain	Amax	Mas	
Prata	Pirat	Pila	Perac	
Ferro	Butan	Baci	Bessi	
Cobre	Bucach	Tombaga		
Chumbo		Tima	Tima	
Arame		Canat		
Azougue		Raza	Rassa	
Pedra		Batu	Batu	
Verdade		Benar	Benar	
Mentira		Dusta	Dustahan	
Dor		Sacher	Sucar	
Saúde		Bai	Baic	
Beijo		Salup	Sium	
Agulha		Codis	Cudis	
Varíola	Alupalan	For franchi		

Português	Filipinas	Molucas	Malaca	Ilhas Vizinhas
Agora		Saracan	Sacatan	
Antes		Satucali	Sacali	
Bom dia		Salam alicum		Salamat
(Resposta)		Alicum salam		
Boa tarde		Sabal chaer		
(Resposta)		Chaer	Sandat	
Sim		Ca, ue	Be, ta	
Não		Tida, le	Tida	
Certamente		Zengu	Songo	
Pouco		Serich		
Metade		Satana		
Muito		Bagna	Baniac	
Aqui		Sini	Iní	
Ali		Sana	Sana	
Longe		Jau	Giau	
Quanto		Barapa	Barapa	
Um	Uso	Sarus	Sa	Isa
Dois	Dua	Dua	Dua	Dua
Três	Tolo	Tiga	Tiga	Toro
Quatro	Upat	Ampat	Ampat	Apat
Cinco	Lima	Lima	Lima	Rima
Seis	Onom	Anam	Onam	Onon
Sete	Pitto	Tugu	Tujo	Tiddo
Oito	Gualu	Dualapan	Dualapan	Varu
Nove	Ciam	Sanbelan	Sambilan	Iva
Dez	Polo	Sapolo	Sapolo	Polo
Vinte		Duapolo	Duapolo	
Cem		Saratus	Ratos	
Duzentos		Duaratus		
Mil		Salibu	Ribus	
Dois mil		Dualibi		
Dez mil		Salacza		
Vinte mil		Dualacza		
Cem mil		Sacati		
Duzentos mil	Duacati			

Português	Filipinas	Molucas	Malaca	Ilhas Vizinhas
Duas coisas	Malupo			
Sentar-se		Duado	Duodoc	
Ter		Ada	Ada	
Golpear		Bricopol	Pucol	
Beber	Mimincubil		Minom	
Casar	Hagababai			
Co-habitar	Tiam	Amput	Tali	
Combater		Guzar		
Comerciar		Biniaga		
Cozinhar		Azap		
Coser		Banam		
Dançar		Manari		
Pedir		Panghil		
Dar		Ambil	Ambil	
Dormir		Tidor		
Escrever		Manguara	Manjurat	
Ouvir		Tao	Itia	
Fatigar		Carajar		
Gozar		Mamain		
Levantar		Pandan	Ancat	
Comer	Macan	Macan	Necal	Malan
Navegar		Belayar		
Pagar		Bayari	Bayar	
Falar		Cata	Cata	
Pentear	Monsugut			
Levar			Biriacan	
Tomar		Na, ambil	Ambil	
Olhar		Liat	Niata	Liat
Despertar		Ranun-chen		Bongon
Tosquear	Chuntinch			
Matar	Mati	Matte	Mattiacan	
Vir		Dinama	Datang	
Roubar		Manchiuri	Mantsiuri	

lepmeditores
www.lpm.com.br
o site que conta tudo

IMPRESSÃO:

PALLOTTI
GRÁFICA

Santa Maria - RS | Fone: (55) 3220.4500
www.graficapallotti.com.br